Eu tornei-me o maior medalhista do Brasil na história dos Jogos Paraolímpicos. Também ganhei por duas vezes o troféu Laureus, considerado o Oscar do esporte, como o melhor atleta paraolímpico do mundo. Eu escolhi esperar e faço parte da geração que quer ser diferente, que deseja ser imitadora de Cristo. Eu apoio a campanha e recomendo que façam o mesmo. Vamos marcar esta geração! Sejamos a geração pura!

Daniel Dias
Atleta paraolímpico

Eu e meu marido, pastor Cláudio Brinco, formamos um casal que escolheu esperar pela vontade de Deus e hoje colhemos as bênçãos do Senhor. A *Eu Escolhi Esperar* é crucial para a juventude do Brasil e do mundo; por isso, nós apoiamos essa campanha — que nasceu no coração de Deus.

Nana Shara
Pastora e ex-cantora

Vejo a *Eu Escolhi Esperar* como uma ferramenta poderosa nas mãos do Senhor. Enquanto o mundo levanta os seus protagonistas — que inspiram e influenciam nossa geração pela mídia e pelas redes sociais, propagando promiscuidade, divórcio e rebeldia —, Deus levanta uma geração de líderes que vão na contramão, estabelecendo uma vida plena em santidade e obediência, que gera frutos sólidos e casamentos que não se dissolvem.

DJ PV
Produtor e músico

É uma honra saber que minha música *Escolhi te esperar* representa esse movimento. Acompanhamos alguns dos eventos da campanha, fazendo *shows* entre as palestras, e tem sido inspirador ver tantas pessoas impactadas por essa abordagem tão honesta, esclarecedora e revolucionária! Digo que é impossível alguém ir a um desses eventos e sair como antes. A *Eu Escolhi Esperar* está fazendo um favor de cur_____ ios tão valiosos, que ajudam jove_____ lias saudáveis.

Marcela Taís
Cantora

NELSON JUNIOR

EU ESCOLHI ESPERAR

Copyright © 2015 por Nelson Junior
Publicado por Editora Mundo Cristão.

Os textos das referências bíblicas foram extraídos da *Nova Versão Internacional* (NVI), da Bíblica Inc., salvo indicação específica. Eventuais destaques nos textos bíblicos e citações em geral referem-se a grifos do autor.

Todos os direitos reservados e protegidos pela Lei nº 9.610, de 19/02/1998.

É expressamente proibida a reprodução total ou parcial deste livro, por quaisquer meios (eletrônicos, mecânicos, fotográficos, gravação e outros), sem prévia autorização, por escrito, da editora.

CIP-Brasil. Catalogação-na-fonte
Sindicato Nacional dos Editores de Livros, RJ

N349e

Nelson Junior
Eu escolhi esperar/Nelson Junior — 1. ed. — São Paulo: Mundo Cristão, 2015.
p. 160; 21 cm.

ISBN 978-85-433-0095-5

1. Relação homem-mulher 2. Casais 3. Casamento — Aspectos religiosos 4. Religião I. Título.

15-23767   CDD: 248.4
                                        CDU: 27-584

Categoria: Relacionamentos

Publicado no Brasil com todos os direitos reservados por:
Editora Mundo Cristão
Rua Antônio Carlos Tacconi, 79, São Paulo, SP, Brasil, CEP 04810-020
Telefone: (11) 2127-4147
www.mundocristao.com.br

1ª edição: outubro de 2015
5ª reimpressão: 2017

Sumário

Apresentação 7
Prefácio 11
Introdução 15

1. Por que é difícil esperar? 25
2. Por que devo esperar? 40
3. Mas esperar por o quê? 54
4. Eu não esperei, e agora? 73
5. O que não é escolher esperar? 92
6. O que é escolher esperar? 109
7. Até quando devo esperar? 127

Conclusão 147
Sobre o autor 151

Apresentação

Quando o dramaturgo irlandês Samuel Beckett escreveu sua peça de teatro mais conhecida, *Esperando Godot*, explorou aspectos bem característicos de todo ser humano. Um desses aspectos é, justamente, a dificuldade de esperar. A peça gira em torno de dois homens, Estragon e Vladimir, que aguardam junto a uma árvore solitária a chegada de um cidadão chamado Godot, que nunca vem. Embora pareça que o personagem principal da trama é o tal Godot, na verdade não é: é o ato de esperar. E esperar com paciência.

Assim como Estragon e Vladimir, todos esperamos por muitas coisas ao longo da vida. Acontece que esperar não é fácil. Ninguém gosta. A sensação que temos, muitas vezes, é que aguardar é uma perda de tempo e que o período de espera é um desperdício, pois tudo o que parece importar é o objetivo final, o destino a que desejamos chegar. O que torna a peça de Beckett tão atraente é que, enquanto aguardam pela chegada de

Godot, aqueles homens preenchem a expectativa e o tédio com diálogos fascinantes, a despeito de serem bastante *nonsense*. *Esperando Godot* demonstra, portanto, que a espera em si pode não ser um desperdício, desde que o tempo durante o qual se espera seja produtivo (embora possa parecer absurdo).

O pastor Nelson Junior propõe algo semelhante a Samuel Beckett, que esperar vale a pena, desde que o tempo de espera seja bem aproveitado. Só que há diferenças consideráveis: o "Godot" de Nelson é bem mais importante na vida de qualquer um que o de Beckett; é o futuro cônjuge, o grande amor da nossa vida. Quando criou o movimento *Eu Escolhi Esperar*, o pastor Nelson enfatizou a importância de esperar pela pessoa certa, no momento certo, guardando pureza sexual e integridade emocional. Sim, porque a proposta não é apenas do celibato; é algo muito maior, como você descobrirá pela leitura desta obra.

O *Eu Escolhi Esperar* traz em si uma proposta revolucionária, uma vez que o movimento surgiu em nossa era pós-moderna, que valoriza o relativismo, o egocentrismo e a busca pelo prazer desenfreado. Nessa perspectiva, é um fenômeno extremamente positivo — do ponto de vista da santidade e da perseverança proposta pela Bíblia — que tantos milhares de pessoas, a maioria jovens e adolescentes, tenham abraçado a ideia de se preservar até o casamento.

A Editora Mundo Cristão não poderia ficar alheia aos excelentes resultados que o movimento idealizado pelo pastor Nelson Junior alcançou em todo o Brasil e decidiu ecoar a voz do seu fundador, para que ele amplifique sua mensagem e leve, por meio deste livro, a proposta da santidade a milhares de pessoas. O objetivo é que a obra tenha um efeito multiplicador, para a honra a Deus e a valorização do futuro cônjuge de cada um, mediante a espera por aquela pessoa especial.

"Eu escolhi esperar" não é um lema; é um estilo de vida. Mais ainda: é um estilo bíblico de vida. Se, por um lado, esperar a chegada de Godot possa ser frustrante, por outro lado a Palavra de Deus oferece a certeza de que aqueles que aguardam com paciência e confiança no Senhor não serão frustrados: "Esperei confiantemente pelo Senhor; ele se inclinou para mim e me ouviu quando clamei por socorro" (Sl 40.1, RA). Tenha a certeza: quem der esse passo de fé verá a sua espera ser reconhecida como prova de confiança, intimidade com o Pai e obediência à proposta divina de santidade — em resumo, como uma prova de amor a Deus sobre todas as coisas e ao futuro cônjuge como a si mesmo.

Boa leitura!

Maurício Zágari
Editor

Prefácio

Para a sociedade do século 21, a espera é um sinal de impotência ou incompetência. Talvez a angústia da espera já tenha atraído para sua mente pensamentos como: "Se estou esperando é porque a felicidade perdeu meu endereço"; "Se estou esperando, existe algo errado em mim"; "Se estou esperando, é porque ninguém me ama e ninguém me quer"; "Se estou esperando é porque não sei o que devo fazer". Os apressados instintos carentes seguem o que diz a música de Geraldo Vandré: "Quem sabe faz a hora, não espera acontecer". Assim, somos bombardeados por pensamentos mentirosos, que nos fazem acreditar que nunca chegará nossa vez, que Deus se esqueceu de nós, que só fica na fila quem não tem valor. Mas essas são mentiras, implantadas em nossa mente pela maioria, que segue valores mundanos.

Muitas vezes, somos engolidos pelo que o mundo diz e nem percebemos. Vivemos em uma sociedade em que a maior parte das pessoas é regida por preferências, e não por princípios. Dominadas pela busca do prazer imediato, elas constroem castelos de areia e terminam a vida com medo da solidão. Mas você pode quebrar esse ciclo! Jesus Cristo disse duras palavras aos que escolheram dar ouvidos à mentira imposta por este mundo: "Vocês pertencem ao pai de vocês, o Diabo, e querem realizar o desejo dele. Ele foi homicida desde o princípio e não se apegou à verdade, pois não há verdade nele. Quando mente, fala a sua própria língua, pois é mentiroso e pai da mentira" (Jo 8.44)

A mentalidade contemporânea é imediatista e tornou o ser humano descartável. Nada de valor pode ser imediato; pelo contrário, o que é valioso é gerado e aprovado pelo tempo. Mas o que tem valor hoje? A intensidade ou a durabilidade? De conceitos como "Que seja eterno enquanto dure" é feita a cultura pós-moderna. A busca do prazer é constante, e a dor de uma sequência de expectativas e perdas pede sempre um nível maior de prazer. É a filosofia do "quanto mais satisfação eu sentir na próxima paixão, maior a chance de eu me esquecer da última decepção". Nisso se encaixa o prazer afetivo de sentir-se importante e o prazer descartável de segundos de um orgasmo sem compromisso. Não importa! O que vale é usar e abusar do prazer sexual desenfreado para esquecer-se das injúrias e imperfeições da vida. Essa é a moda!

A verdade é que as últimas décadas banalizaram o sexo, e chegamos a uma disfunção moral que confundiu os gêneros e cancelou os parâmetros e a real necessidade de pertencer a alguém. Confiar em emoções verdadeiras e sentir-se seguro e completo tornaram-se um sonho inatingível ou, no mínimo, antiquado demais. Por isso, *escolhi esperar* significa *escolhi pensar*, isto é, *escolhi avaliar minhas decisões e a maneira como estou construindo meu futuro.*

Algumas pessoas só decidem pensar no que estão fazendo de sua vida quando já deixaram de ser jovens e as consequências de uma mocidade impulsiva permaneceram. Acredite: a juventude parece eterna enquanto dura, mas o tempo de vida que temos fora dela é muito maior, e o que fazemos nessa fase de euforia pode nos seguir pelo resto da vida. Outras pessoas só decidem parar para pensar quando, por exemplo, uma doença sexualmente transmissível aparece como uma bomba-relógio e um selo de impureza rouba-lhes a saúde e a vida. As consequências do sexo fora do casamento são incontáveis, e parar para refletir sobre isso é desafiador, porque nos convida a meditar sobre muitas outras coisas.

Expor corpo, instintos e alma a aventuras passageiras é deixar pedaços de você pela história. Não só na sua, mas na de alguém que talvez você nunca mais veja. Por isso, muitos se encontram aos pedaços. Querem deixar de viver de forma promíscua, mas não sabem por onde começar. O mundo quer que você pare de pensar, mas Deus quer que você pense!

O Senhor tem preparado um futuro para o seu coração no qual ele será liberto, seguro e profundamente amado. Prepare-se para o que Deus já preparou para você! Seja inteiro e completo no Senhor, e você atrairá a pessoa certa. Eu mesma despertei do sono que me mantinha aprisionada por meus impulsos e disse: "Há um cérebro aqui, e ele pode controlar esses hormônios". Fique atento para o que dizem as Escrituras: "Portanto, irmãos, rogo-lhes pelas misericórdias de Deus que se ofereçam em sacrifício vivo, santo e agradável a Deus; este é o culto racional de vocês. Não se amoldem ao padrão deste mundo, mas transformem-se pela renovação da sua mente, para que sejam capazes de experimentar e comprovar a boa, agradável e perfeita vontade de Deus" (Rm 12.1-2).

Coragem! Este livro vai ajudá-lo muito. Você vai conseguir!

Bianca Toledo
Cantora, palestrante e escritora

Introdução

Era verão de 2011 quando voltei a aceitar convites para pregar em encontros de adolescentes e jovens. Depois de dez anos sem atuar nessa área, eu não sabia o que falar; por isso, comecei a testemunhar sobre minha decisão de ter esperado até o casamento para me relacionar sexualmente. Eu dizia: "Eu escolhi esperar... e valeu a pena!". Foi assim que tudo começou.

Em março do mesmo ano, decidi abrir um perfil nas redes sociais para ajudar aqueles que participavam de minhas palestras e tomavam essa decisão. Comecei a publicar frases com conselhos, e, para minha surpresa, centenas de pessoas começaram a se identificar com a nossa proposta e passaram a recomendar amigos para seguirem nosso perfil. Foi incrível ver que, em apenas três meses, a campanha *Eu Escolhi Esperar* tornou-se febre na internet, ganhando milhares de seguidores em poucos dias.

Naquela mesma época, comecei a fazer transmissões *on-line*, ao vivo, todas as sextas-feiras. Eram gravações amadoras, feitas na sala de casa. Milhares de jovens se conectavam, de todas as partes do Brasil e até do exterior, para assistir às minhas palestras. A cada semana eu apresentava um tema diferente, mas sempre relacionado à vida sentimental e à sexualidade. Foi quando percebi que existia um vácuo enorme sobre o assunto para os solteiros, mesmo entre os cristãos. Observei que pessoas das mais diferentes idades e denominações religiosas assistiam aos vídeos, seguiam e aderiam à campanha, mas sabiam muito pouco sobre as questões abordadas.

A maioria dos repórteres que me entrevistam faz uma pergunta comum: "Como você explica o sucesso de sua campanha? Você fala sobre algo que jovens e adolescentes detestam: esperar. Ainda mais quando se trata de guardar-se sexualmente até o casamento". Explico que, na verdade, não tem a ver com sucesso, mas com carência.

Em nossos dias, há muita vulgaridade e banalização do sexo e da vida amorosa. Existe uma multidão de pessoas feridas, desorientadas e insatisfeitas com a vida amorosa, e elas não conseguem discernir o porquê. A *Eu Escolhi Esperar* não é um sucesso, mas sim uma espécie de resposta para uma geração que deseja experimentar algo novo e diferente. É uma campanha que caminha contra a cultura vigente e apresenta outra via, resgatando valores e princípios eternos que a geração de nossos pais desprezou, mas que os jovens de hoje estão descobrindo.

Em três anos, a *Eu Escolhi Esperar* assumiu enormes proporções: mais de três milhões de pessoas se conectaram a ela por meio das redes sociais e, no Twitter, em 2012, tornou-se um dos cinquenta perfis mais influentes do Brasil. Além disso, a campanha ganhou destaque na televisão, em programas de amplo alcance, como *Hora do Faro*, com Rodrigo Faro; *Mais Você*, com Ana Maria Braga; *Profissão Repórter,* com Caco Barcelos; e *Encontro com Fátima Bernardes*. O *Eu Escolhi Esperar* já foi assunto de reportagens em importantes revistas e jornais, como *Época, Veja, Superinteressante, Caras, Capricho, O Globo, Folha de S. Paulo* e *Estadão*.

Em um período de 24 meses, mais de duzentas mil pessoas participaram dos seminários oferecidos pela campanha em todo o Brasil. São mais de três mil convites por ano para dar palestras em igrejas, escolas e acampamentos. O *Eu Escolhi Esperar* já visitou todos os estados do Brasil e, no exterior, foi a lugares como Haiti, Inglaterra, Estados Unidos e Guiné-Bissau, país em que desenvolveu uma frente humanitária voltada ao resgate de adolescentes que se tornaram prostitutas porque sua virgindade foi vendida quando ainda eram crianças.

Contudo, como falar da importância de esperar a uma geração que tem tanta pressa? Quem disse que é fácil esperar? A verdade é que ninguém gosta de esperar — admito, eu mesmo não gosto. Sendo assim, como esperar se as coisas hoje acontecem de forma tão imediatista?

O dia passa tão rápido que 24 horas parecem pouco para se resolver o tanto que precisa ser feito. Os meses estão acelerados, os anos se sucedem, e você percebe que está ficando mais velho. Isso se torna mais desesperador para muitos quando percebem que o tempo está voando e ainda continuam sem alguém com quem desenvolver um relacionamento afetivo.

Sim, esperar por qualquer coisa é muito difícil. Conheço pessoas cuja espera máxima na vida foram os nove meses para nascer — e, mesmo assim, algumas nem isso conseguiram e nasceram prematuras. Falar em esperar em nossos dias é um desafio enorme, e parece mais difícil em se tratando de encontrar o grande amor e ainda mais complicado se o assunto é esperar para ter relação sexual somente no casamento. Neste livro, meu desejo é compartilhar a importância de saber esperar, refletir acerca de por que esperar, esclarecer o que não é esperar e concluir o que, de fato, é esse *escolher esperar*.

Alguns jornalistas me perguntam se comecei o *Eu Escolhi Esperar* inspirado por grandes movimentos que carregam proposta semelhante, especialmente outros criados nos Estados Unidos. Em 2008, uma iniciativa chamada *Silver Ring Thing* [A coisa do anel de prata, em tradução livre] ganhou notoriedade internacional quando celebridades aderiram à proposta e passaram a usar um anel de prata como símbolo da decisão de se casar virgens. A campanha surgiu em 1998 por iniciativa do pastor Danny Patton, preocupado com a sexualidade de suas filhas e com a decadência moral americana.

Quando os três irmãos da famosa banda *teen* Jonas Brothers anunciaram que o anel de prata que usavam representava um voto de castidade, a história virou notícia em jornais pelo mundo afora. Eles estavam no auge da fama, e usar o "anel de pureza" tornou-se moda entre os adolescentes americanos. Na mesma época, outras celebridades também em evidência passaram a usar o anel de prata. A atriz Miley Cyrus, que ficou famosa interpretando o papel de Hannah Montana, aderiu ao movimento. A atriz Selena Gomez, estrela da Disney e ex-namorada do cantor Justin Bieber, também usou por determinado tempo o anel de castidade. Poucos anos depois, no entanto, todas essas celebridades desistiram do compromisso, tiraram o anel do dedo e declararam que decidiram ter uma vida sexual ativa, o que os levou às manchetes novamente.

Em toda entrevista que dou para a imprensa, o exemplo desses famosos sempre vem à tona; é a maneira pela qual os jornalistas têm de argumentar que a escolha de escolher esperar não funciona. Os repórteres questionam se essa questão não estaria ultrapassada, uma vez que "todos acabam desistindo". Alegam que a proposta de se guardar para o casamento tornou-se algo quase impossível em nossos dias. Sempre respondo a esse questionamento com um pedido: "Por favor, diga-me pelo menos uma coisa em que esses famosos sirvam de boa referência". Infelizmente, todos, no período entre 2010 e 2015, não serviram como bons exemplos para crianças e adolescentes, já que se envolveram em muitas confusões e escândalos.

Outro caso que as pessoas regularmente usam como exemplo na tentativa de provar que escolher esperar não funciona é o do jogador de futebol Kaká e sua esposa, Carol Celico. Esse casal, muito precioso, sempre foi alvo de minha intercessão. Kaká sempre declarou quando solteiro que se casaria virgem, e sua decisão de esperar até o casamento estava na pauta de suas entrevistas naquela época. Quando, em 2014, enfrentaram uma forte crise matrimonial e sua separação foi anunciada, passei a receber ligações de diferentes veículos da imprensa brasileira, questionando se escolher esperar realmente funciona. Ao contrário de outras celebridades, Kaká sempre foi uma excelente referência como atleta, filho e pessoa. Mas a boa notícia é que o casal já reatou o casamento.

Por que conto essas histórias? Porque todas são de conhecimento geral e nos servem de aprendizado. São casos de pessoas famosas que, por motivos diferentes, não "deram certo". Eu poderia, em contraponto, relatar milhares de testemunhos com histórias que deram muito certo, de pessoas e casais anônimos que reconhecem que escolher esperar em Deus é algo que vale a pena.

Quando eu era adolescente, surgiu no Brasil um movimento que ficou muito conhecido, o *Quem ama espera*, liderado pelo pastor Jaime Kemp. As pessoas sempre me perguntam se o *Eu Escolhi Esperar* é a nova versão do *Quem ama espera*. Outras, mais precipitadas, dizem que o *Eu Escolhi Esperar* é uma cópia do *Quem ama espera*. Eu respondo que a campanha que idealizei é, na verdade, fruto do *Quem ama espera*.

Na adolescência, eu servia ao Senhor e desejava muito agradá-lo com minha vida e minhas atitudes. Foi quando ouvi uma mensagem que dizia que o amor também sabe esperar. Compreendi, então, que escolher esperar também era uma forma de exercitar meu amor. Aprendi que me guardar sexualmente para o casamento era uma verdadeira prova de amor a Deus, a mim mesmo e à minha futura esposa.

Muitos perguntam como é possível se casar com alguém que não se conhece sexualmente, como tomar uma decisão tão séria sem ter experimentado o outro na intimidade e coisas do gênero. Já perdi as contas de quantos casais em processo de separação aconselhei, e o curioso é que as pessoas nunca se separam por não terem tido experiências sexuais com o parceiro antes do casamento. Elas se divorciam por outras razões: traição, brigas, egoísmo, vícios, mentiras, questões financeiras, diferença de idade, incompatibilidades etc., mas nunca porque o parceiro "não é bom de cama".

Eu não comecei o *Eu Escolhi Esperar* inspirado em outros movimentos, baseado na história de outras pessoas ou por causa das celebridades. Essa é a história da minha vida! Eu sou a prova viva de que saber esperar é uma decisão sábia, que nos proporciona consequências abençoadoras. É uma escolha difícil, mas não impossível, e garanto para quem se mantém firme na decisão: é recompensador. Hoje vejo as bênçãos por ter escolhido esperar em meu casamento. Eu esperei e agora tenho testemunhado para milhões de pessoas como vale a pena esperar!

Esta não é uma obra somente para adolescentes. Ela foi escrita para todos que estão cansados de sofrer na vida sentimental e desejam viver uma nova experiência. A decisão de escolher esperar não se restringe a uma faixa etária, uma vez que decepções amorosas não escolhem idade. Por mais experiente que uma pessoa pareça ser, ninguém está livre de se ferir emocionalmente ou de ceder às tentações sexuais.

Se você já saiu da adolescência, talvez pense: "Eu não estou mais na idade de esperar". Conheço adultos, já estabelecidos no mercado de trabalho e com estabilidade financeira, que, no entanto, são frustrados na vida sentimental. Recebo semanalmente dezenas de *e-mails* de gente que já namorou muito e, ainda assim, está sofrendo no amor. Posso afirmar sem medo que parte desse sofrimento está diretamente ligado à dificuldade de saber esperar. Como não esperaram, muitas dessas pessoas acabam se precipitando e colecionando feridas. Meu desejo também é ajudar aqueles que estão esperando no Senhor, mas não sabem o que verdadeiramente isso significa e como fazer isso. Muitos acham que estão "esperando no Senhor", mas na verdade não estão.

Peço a Deus que cada página deste livro seja uma poderosa ferramenta para trazer respostas, abrir o entendimento e levar esperança ao coração daqueles que desejam viver uma nova experiência em sua vida sentimental e em sua sexualidade. Espero que esta obra fortaleça suas convicções e que Deus trabalhe lindamente em seu coração.

Capítulo 1
Por que é difícil esperar?

Certas perguntas se tornaram clássicas para mim nos últimos anos, desde que comecei a campanha *Eu Escolhi Esperar*. Uma delas é: como ela surgiu? Esse questionamento vem sempre acompanhado de outros, tais como: "O que é esperar?"; "Por que esperar?"; "Qual o sentido disso?"; "Afinal, vocês esperam por o quê?"; "Não seria melhor agir em vez de esperar?"; e "Eu não esperei antes. Posso esperar agora?".

Para responder a essas dúvidas, preciso primeiro contar um pouco da minha história. Nasci em um lar dividido: minha mãe era evangélica, e meu pai, não. Durante a infância, meus finais de semana se dividiam entre ir um domingo à igreja com minha mãe e no outro domingo ao Maracanã com meu pai. Vivia nesse revezamento, mas, desde pequeno, amava ir ao culto com minha mãe. Enquanto isso, meu pai temia que eu me tornasse "um bitolado".

Na verdade, a parte que eu mais gostava na igreja era o louvor musical. Eu tinha muita dificuldade de prestar atenção no sermão do pastor, não entendia muito do que era dito e sempre sentia muito sono. Quando, porém, eu estava com 10 anos, lembro-me de que certa pregação do pastor soou diferente e fez todo o sentido para mim. Recordo-me de pouca coisa daquela noite, mas não me esqueço de que fui ao altar durante o apelo e tomei uma decisão que marcaria minha vida: viver para Deus. Eu era apenas uma criança e não sabia o que me esperava adiante.

Com 12 anos, já estava na puberdade, fase em que o corpo começa a mudar. Pelos cresciam em várias partes do corpo, a voz ficava cada vez mais grossa, as pernas e os pés não paravam de esticar; todo o meu corpo se transformava.

Essas transformações não aconteciam somente por fora; percebi mudanças internas também. Havia algo diferente em mim. Perdi o interesse por algumas brincadeiras e comecei a perceber que agora as meninas me chamavam muito a atenção. Passei a sentir algo diferente por elas. Nas rodinhas de conversa entre os colegas de escola, o assunto não era mais somente futebol; as mulheres se tornaram o segundo grande assunto dos bate-papos.

Aos 14 anos, alguns dos amigos de escola, da rua onde eu morava e meus primos mais velhos já estavam tendo relações sexuais. Eles contavam tranquilamente suas aventuras amorosas. Comecei a perceber que todos estavam engajados em algum tipo de experiência amorosa e passei a ficar constrangido por isso; afinal, eu nunca tinha namorado alguém. Não havia sequer "ficado" com uma menina, quanto mais ter vivido experiências de caráter sexual. Nessa época, fiquei conhecido na escola como o famoso "BV", sigla de *boca virgem*.

Se a campanha *Eu Escolhi Esperar* começou oficialmente em 2011, sua história teve início anos antes e mistura-se com a da minha vida. Afinal, eu escolhi esperar! Vivi na pele como é difícil ser um adolescente cristão neste mundo tão apelativo. É muito complicado tentar ser puro em meio a uma sociedade que explora ao extremo a sensualidade. E ainda sofremos uma pressão muito forte das pessoas ao nosso redor. Há uma cobrança constante para ter alguém e nos dizem que só seremos felizes se estivermos namorando. A impressão é que estar sozinho é errado, algo muito ruim. Quando era adolescente, percebi como é difícil dizer *não* numa fase em que todos os seus amigos dizem *sim* para tudo.

A adolescência passou, tornei-me um jovem cristão e experimentei o que é estar solteiro diante de tantas pressões sociais, invisíveis mas bem reais. Senti na pele os dilemas do dia a dia, as lutas e as tentações, e atravessei crises. Parece quase impossível ser puro num mundo tão sujo, principalmente para um homem. Posso garantir que, por mais difícil que pareça, independentemente de sua idade, classe social ou nível intelectual, é plenamente possível ser um cristão e buscar uma vida de pureza. Pode parecer difícil, mas não é impossível.

O tempo passou, eu esperei, amadureci, casei-me e constituí minha família. Meus amigos também cresceram e novas gerações surgiram, mas as lutas e as tentações continuam as mesmas. Esse foi um dos motivos que me levaram a acreditar que este é o tempo de ensinar sobre a importância de saber esperar.

Apesar de este livro ensinar sobre a espera antes do casamento, esperar não é algo a ser praticado somente enquanto se é solteiro; afinal, ter paciência é algo imprescindível na vida de casado. Quem não aprende a esperar quando solteiro enfrentará muita dificuldade para ter paciência quando entrar no matrimônio.

Na adolescência e na juventude, passamos por muitas lutas, tentações e crises, muitos dilemas e conflitos. Uma das maiores dificuldades que enfrentei naquelas fases da vida foi o fato de estar solteiro. Existem diferentes fatores que tornam as coisas mais difíceis quando estamos solteiros, e estou convicto de que a vida sentimental e a sexualidade provavelmente estão entre os principais.

Aliado a isso, encaramos um turbilhão de hormônios sexuais, que entram em ebulição justamente quando despontam paixões repentinas do coração. Com tudo isso vêm os desejos, a carência afetiva, as paqueras, os romances, as decepções... e todas essas coisas juntas podem se tornar uma poderosa arma contra nossa vida, uma vez que influenciam muito as nossas escolhas.

A FALSA LIBERDADE SEXUAL

No Brasil, muitas campanhas são organizadas todos os anos, sobre temas variados, principalmente os de caráter social. A maioria delas é digna e necessária. Por exemplo, campanhas de caráter ambiental contra o desmatamento florestal, os maus-tratos de animais e a preservação da água. Na área da saúde, há campanhas em prol da luta contra o câncer de mama, de combate ao tabagismo, de alerta contra o uso de drogas ilícitas e até as de prevenção contra o mosquito da dengue.

Existem também as campanhas relacionadas à vida sexual, como as que incentivam o uso de preservativos e as que se posicionam contra a exploração do sexo infantil, a pedofilia e a prostituição. Atualmente, está em alta no Brasil a discussão sobre a liberdade sexual e a defesa dos direitos dos homossexuais. Aproveitando a ampla discussão sobre opção sexual, resolvi levantar mais uma, voltada para os que escolhem se guardar sexualmente para o casamento. Pensei: "Vamos fazer uma campanha destinada àqueles que fizeram a opção de esperar pelo matrimônio para ter sua primeira experiência sexual. Afinal, essa também é uma opção sexual".

Numa sociedade que se considera avançada, o sexo fora do casamento se tornou prática comum, inclusive entre cristãos. Vivemos em um mundo que prega a liberdade sexual e cujo limite é o prazer. Porém, liberdade sem responsabilidade não é liberdade; é libertinagem — ou seja, tem aparência de liberdade, mas não é. Liberdade não é sair por aí fazendo o que você quer. Liberdade é você ter o poder de saber escolher aquilo que é melhor para sua vida. A maior evidência de que essa suposta liberdade é fraudulenta está nas gravíssimas consequências que ela deixa na sociedade. As sequelas são drásticas e evidentes, mas a sociedade não consegue enxergar, porque está cega pelo Inimigo, "o deus desta era" (2Co 4.4).

Essa libertinagem social escraviza. A prostituição é uma grande evidência do crescimento desse tipo de escravidão. As pessoas tornaram-se reféns dos próprios prazeres. Com o tempo, elas tornam-se cada vez mais viciadas em sexo, e a sociedade fica ainda mais depravada.

Outra prova de que a liberdade sexual é libertina está no alto índice de gravidez na adolescência. O governo federal tenta conter esse crescimento desenfreado por meio de campanhas educativas e procura ensinar aos adolescentes que sexo seguro é aquele em que se usa preservativos. O índice de adolescentes e jovens brasileiras grávidas é hoje maior do que na última década. Segundo o Fundo de População das Nações Unidas, cerca de 19,3% das crianças nascidas vivas em 2010 no Brasil são filhos de mulheres de 19 anos ou menos.[1]

---

[1] Disponível em: <http://www.unfpa.org.br/Arquivos/Gravidez%20Adolescente%20no%20Brasil.pdf>. Acesso em: 10 de abril de 2015.

Mais uma triste estatística dessa falsa liberdade é a proliferação de doenças sexualmente transmissíveis (DST). A incidência das DST vem aumentando nos últimos anos, e já é considerada um problema de saúde pública em todo o Brasil. Profissionais da área caracterizam esse tipo de questão como "problemas sociais", o que é um grande engano. Esses não são problemas unicamente sociais, mas morais, de ausência de valores e, sobretudo, espirituais. A ausência da família e o abandono aos princípios e valores de Deus empurram a sociedade ladeira abaixo, para o caos social.

Não é pequeno o preço que a sociedade paga pela liberdade sexual que ela mesma ensina e prega, consequência da devassidão e da imoralidade sexual sem limites que pais, educadores e, principalmente, a mídia produzem. Pouco proveito terão campanhas "preventivas" se a televisão promove o desejo sexual para um público de faixa etária cada vez menor. A sociedade aprova e acha isso bonito. E mais: nossas crianças são estimuladas a desenvolver relacionamentos amorosos cada vez mais cedo, incentivadas por filmes e programas de televisão. Enquanto a sociedade continuar crendo na mentira de que, para resolver esses problemas, basta fazer uso de preservativos, toda a sua luta será em vão.

Aos 12 anos eu já recebia na escola informações sobre o uso de preservativos. Vinte anos depois, os números continuam crescendo. Combater o mal sem combater a causa é nadar contra a correnteza. Vou além: o uso de camisinha pode prevenir a contaminação de DST e até mesmo uma gravidez indesejada, mas não pode evitar a vergonha, a rejeição, a culpa, o medo, a insegurança, a carência, a traição, a baixa autoestima, a humilhação, o abuso emocional e a solidão.

A maior medida de prevenção que podemos estabelecer para evitar tudo isso é observar e cumprir os princípios divinos, os valores e mandamentos eternos estabelecidos por Deus para nos proteger. Guardar-se sexualmente para o casamento não é uma questão religiosa, mas uma escolha que produz bênçãos para a vida inteira. A relação sexual antes do casamento produzirá consequências na vida de solteiro e marcas que você levará para sua vida de casado. Como diz uma frase que faz muito sentido, "Deus inventou o sexo seguro e o chamou de casamento". O sexo é lindo e puro. Nos padrões de Deus, é maravilhoso! Sexo não é imoral, sujo ou ruim. Sexo tem dono, e não é o Diabo. A relação sexual é uma criação divina! O que o Diabo fez com o sexo foi uma "versão pirata", pois toda devassidão e imoralidade sexual é uma cópia barata e falsificada daquilo que Deus criou.

Preservar-se sexualmente para o casamento não significa que Deus é um desmancha-prazeres. O Criador quer proporcionar às pessoas uma vida emocionalmente pura e saudável. Se você tem sofrido desilusões amorosas e colecionado feridas emocionais, tenha a certeza de que o compromisso de escolher esperar marcará suas escolhas para sempre e trará respostas à parte das decepções. Amor e sexo são duas coisas distintas, mas totalmente interligadas. Talvez você não saiba, mas desfrutar de relações sexuais antes do casamento está diretamente relacionado ao acúmulo de desilusões e frustrações amorosas, uma vez que, quando quebramos um princípio divino, colhemos as consequências em nossa vida afetiva.

AS PRESSÕES PARA NÃO ESPERAR

Certo dia, quando eu estava no aeroporto, uma jovem me reconheceu, aproximou-se de mim e se apresentou. Era uma estudante de jornalismo que cursava o último ano da faculdade. Vinha de uma família cristã, mas, devido aos estudos, estava um pouco distante do convívio da igreja. Aquela jovem já havia namorado dois rapazes recentemente e estava sozinha havia poucos meses. Logo, ela me fez uma pergunta: "Por que é tão difícil esperar?".

Aquele questionamento reflete o que se passa na mente de multidões de pessoas. Desde muito cedo, somos pressionados a ter alguém e, inconscientemente, isso cria uma barreira difícil de contornar com o passar dos anos. A influência de outros é o principal responsável por namoros precoces, fora do tempo. Desenvolver um romance no momento errado nos influenciará a fazer escolhas erradas e, por consequência, colheremos dor e decepções. Quem já não presenciou um adulto perguntando para uma criança que ainda está no jardim de infância: "Já tem namoradinho na escola?". As pessoas acham isso bonitinho; afinal, são só crianças. Mas essa é justamente a grande questão: elas são crianças. Uma menina de 11 anos me procurou desesperada ao final de uma de nossas conferências e, com lágrimas nos olhos, me disse: "Não me diga que eu tenho de esperar por muito tempo". Em outra ocasião, uma jovem de 16 anos foi até mim com a seguinte afirmação: "Ore por mim. Eu estou encalhada!". Claro que alguém nessa idade pensará assim; ele passou a infância ouvindo que precisa ter alguém e as coisas ficam ainda pior porque, nessa idade, os amigos já estão todos "ficando" ou namorando.

Na adolescência, assistimos a nossos colegas começando a namorar cada vez mais cedo e, quando alcançamos certa idade, sem nunca ter namorado, as pessoas começam a nos cobrar pelo fato de estarmos sozinhos. E, pior, viramos motivo de piada, e a única conclusão a que os outros chegam é que "estamos encalhados". Aqueles que esperam acabam se tornando praticamente extraterrestres, tão diferentes que são dos demais. Sei que, para muitos, minhas considerações soarão radicais, mas meu desejo é mesmo provocar. Uma das muitas razões que tornam a espera uma decisão tão difícil são justamente as pressões que sofremos daqueles que nos rodeiam. É algo muito sutil, mas essas situações colaboram diretamente para que as pessoas se precipitem e acabem se decepcionando. Se não bastassem as pressões externas, as coisas se agravam quando começam os conflitos dentro de nós. Sem hesitar, cedemos. Por quê? Por que é tão difícil esperar? Por que é tão difícil fazer escolhas certas nessa área da vida? Se Deus cuida de tudo, por que, ainda assim, as pessoas se machucam tanto no que se refere a sexo? Por que é tão difícil encontrar alguém que deseje um compromisso sério? Dúvidas como essas se multiplicam e ferem como facas.

Geração após geração, as pessoas estão cada vez mais frustradas emocionalmente. Quanto mais cedo começam os relacionamentos, mais instáveis e conturbados se tornam. Pessoas me escrevem o tempo todo, desapontadas com sua vida amorosa. Minha caixa postal está cheia de histórias, uma mais triste que a outra. Os *e-mails* são diários e não param de chegar. São centenas de pedidos de socorro; há uma desorientação coletiva. São muitas mágoas, histórias de sofrimento e confissões surpreendentes. Isso considerando que somente jovens cristãos me escrevem. Como explicar isso? Qual o motivo de vermos servos de Deus tão desorientados e feridos?

Escolher esperar é muito mais que não fazer sexo antes do casamento. Costumo dizer em minhas palestras que pouco adianta as pessoas chegarem virgens ao casamento, sexualmente intactas por fora, mas completamente destruídas por dentro, marcadas e feridas por relacionamentos anteriores. Não adianta o corpo querer esperar se o coração tem pressa. Conheço muitos jovens que guardam o corpo, e isso é muito bom — na verdade, é maravilhoso. Mas percebo que a maioria deles não compreendeu que tão importante como guardar seu corpo é guardar também o coração (Pv 4.23).

A vida sentimental é a área que mais influencia nossa conduta, nossas escolhas, nossos pensamentos e até nosso humor. Você pode passar por um problema de saúde e nem sempre esse problema afetará as outras áreas. Uma pessoa pode enfrentar lutas em casa, no trabalho, nos estudos e até em suas amizades, mas nem sempre determinado problema interfere em outros segmentos da vida. Já nas vezes em que alguém vive um problema na vida amorosa, tudo o mais parece ser impactado. Quando o coração não está bem, tudo vai mal. Quando enfrentamos uma crise amorosa, sentimo-nos péssimos por dentro e por fora. Se o coração sofre, sofremos igualmente no trabalho, nos estudos, com os amigos, em casa, na igreja e na relação com Deus. Por isso, esse assunto, que não é o mais importante do cristianismo, adquiriu tamanha urgência.

As decepções amorosas são um dos principais motivos para as pessoas se desviarem da igreja. Poucas coisas mexem tanto com alguém quanto a vida sentimental. Sendo assim, temos de cuidar bem do coração. Não posso mais assistir passivamente a uma geração ferida e frustrada, nem tratar somente de sexo no casamento se há uma multidão de gente desorientada e infeliz no amor. De pouco servirá aprender a se preservar sexualmente até o casamento se você não chegar a ele emocionalmente saudável.

Infelizmente, "eu escolhi esperar" tornou-se um jargão, uma frase de efeito ou uma espécie de "estado civil". Se esperar não é uma decisão fácil, a dificuldade só aumenta se você não entende as razões que o levam a tomar essa decisão. Conheço milhares de pessoas que dizem estar esperando em Deus, mas, na verdade, não estão. Consequentemente, colecionam frustrações amorosas.

Se esperar for sua escolha, saiba que essa não é uma decisão confortável. Esperar em Deus é andar na contramão e desagradar a maioria; é contrariar a opinião popular e tornar-se motivo de piadas. Você perceberá que essa não é a escolha de muitos pretendentes que aparecerão em seu caminho; nem todos estão dispostos a esperar até o casamento para ter relações sexuais. Mas tenha a certeza de que viver as escolhas que agradam o coração de Deus é algo profundamente recompensador e revigorante.

Esperar parece ser uma missão impossível, porque vai contra nossa natureza. Além disso, seus desejos têm pressa e só buscam os prazeres momentâneos, e o Inimigo deseja fazer você se precipitar. São muitos fatores trabalhando juntos para que não façamos o certo. O que nos fortalece, porém, é que o Espírito Santo está sempre pronto para nos ajudar nos momentos de fraqueza e nos impulsionar a ficarmos firmes na presença de Deus.

Há uma pressão muito grande para que desistamos de agir segundo a vontade de Deus. O mundo odeia quem não é igual a todo mundo. Quando você se propõe a não ter pressa e começa a buscar agradar o coração do Senhor, acontecem situações as mais diversas para nos fazer desanimar. Muitas vezes você não encontrará apoio nem da própria família, seus amigos o aconselharão a fazer o errado e até a pessoa com quem você está se relacionando pode pressioná-lo a tomar decisões precipitadas.

É uma ilusão achar que fazer a vontade de Deus é fácil. Ilusão muito maior é acreditar que não valerá a pena. Há promessas para os que abrem mão das satisfações do mundo, que negam seus prazeres e andam na presença do Senhor. Veja o que diz a Bíblia: "Se agir assim, certamente haverá bom futuro para você, e a sua esperança não falhará" (Pv 23.18). Deus é fiel e não se esquece nunca das escolhas que fazemos para agradar seu coração e obedecer à sua Palavra. As decisões de hoje interferem no amanhã.

Para a gente pensar

1. Quais são as razões que tornam a espera algo difícil para você? O que pode ser feito para superá-las?

_____

_____

_____

2. Uma das maiores dificuldades para quem escolheu esperar é a pressão social — de amigos, parentes e colegas. Que medidas práticas você pode tomar para superar essa pressão?

_____
_____
_____

3. Como você pode transformar "escolhi esperar" de um jargão para uma realidade de vida?

_____
_____
_____

4. Esperar é uma decisão impossível? Explique sua resposta.

_____
_____
_____

5. Em sua opinião, por que esperar vale a pena?

_____
_____
_____

Capítulo 2
Por que devo esperar?

Ao longo do tempo, aprendi algumas realidades sobre vida sentimental e sexualidade. Desde minha adolescência, as pessoas sempre me procuraram para contar seus segredos. Após vinte anos de aconselhamento para solteiros, já ouvi tantas histórias que até perdi a conta. Em cada relato, comecei a notar que os indivíduos são diferentes, mas, em geral, as histórias se parecem. Acabei adquirindo certa experiência. Por exemplo, quando uma moça me procura para aconselhamento, já desconfio do assunto. O diálogo é mais ou menos assim:

— Já imagino o que você deseja conversar — eu digo.

— Mas ainda nem falei qual é o assunto!

— É sobre o seu coraçãozinho, não é? — respondo, categórico. Nesse momento, as meninas quase sempre respondem com os olhos, que se enchem de lágrimas.

Em relação aos homens, também percebo quando o assunto é vida sentimental. Se algum rapaz vem até mim em busca de aconselhamento, pergunto sempre o teor do assunto, para saber se é algo urgente ou se pode esperar alguns dias para marcarmos um gabinete pastoral. A resposta em geral é algo do tipo:

— É que estou passando por uma luta...

Essa é a senha! Pergunto, então, em tom de brincadeira:

— Essa luta usa saia, certo? — É impressionante como a maioria das "lutas" dos rapazes quase sempre tem a ver com o sexo oposto.

Toda essa experiência me levou a formular pensamentos sobre o assunto, que começam por algumas perguntas: Por que esperar? Qual o sentido de esperar? Por que essa seria uma boa escolha? O que se ganha ou se perde por esperar? Esperar por o que, afinal?

Os seres humanos têm a necessidade de amar e de ser amados. Esse desejo nos é intrínseco e não há como arrancá-lo; é algo que vem de fábrica. Deus nos programou assim. Somos seres espirituais, emocionais e sexuais. O problema não está em sentir necessidade de se relacionar. É nas escolhas que fazemos para tentar suprir esse desejo que escorregamos. E cada queda gera uma nova ferida, que nos deixa marcas dolorosas.

Todos queremos viver experiências sentimentais. Temos prazer em nos relacionar, desejamos encontrar alguém especial e nos sentimos bem ao lado de quem gostamos. Quando amamos, muitas coisas ao redor perdem o sentido e outras ganham novo significado. O que era cinzento fica colorido; tudo muda naturalmente. É o efeito do amor. Proporcionalmente, não há nada que se compare a uma decepção amorosa; é algo doloroso e pode levar tempo para superar.

Quando encontramos alguém especial, é natural sentir atração e desejos sexuais por aquela pessoa. Não se assuste; isso acontece. Ter desejos e vontades não está errado. O problema é que podemos transformar um sentimento em pecado com as atitudes que tomamos para saciar tais desejos. Talvez você se pergunte se isso não contradiz as palavras de Jesus: "Vocês ouviram o que foi dito: 'Não adulterarás'. Mas eu lhes digo: Qualquer que olhar para uma mulher e desejá-la, já cometeu adultério com ela no seu coração" (Mt 5.27-28). Seria uma contradição, se não compreendermos a que Jesus fez referência. Nesse caso, Jesus se refere a um desejo erótico, com teor pornográfico, como fantasias sexuais, pensamentos erotizados com a outra pessoa, mas não uma negação da atração pelo sexo oposto. O sentir-se atraído pelo sexo oposto faz parte do processo natural do código da atração.

Ao sentirmos desejo, não necessariamente pecamos. Muitas vezes não somos responsáveis pelas emoções, mas somos responsáveis pelo que fazemos com aquilo que sentimos. Cada escolha que você faz em sua vida trará consequências e implicações, sejam elas boas ou ruins. Hoje você faz suas escolhas; amanhã são essas escolhas que fazem você. Precisamos trabalhar a importância de nossas escolhas e como elas afetam a vida, possivelmente nos marcando para sempre.

EU ESCOLHI NÃO SOFRER

Eu ainda era adolescente e colegas de escola, adolescentes da igreja e amigos da rua onde eu morava já me procuravam para se abrir comigo. Mesmo sendo tão novo, eles diziam que confiavam em mim e não tinham coragem de conversar determinados assuntos com seus pais ou líderes. Claro que isso está longe de ser o ideal, pois pessoas mais maduras e experientes são sempre a melhor fonte de conselhos, e recomendo a todos os jovens e adolescentes que priorizem conversar com seus pais e líderes. Mas o fato é que isso aconteceu, e foi ouvindo cada uma das histórias que comecei a refletir.

Existe um provérbio popular que diz: "Inteligente é aquele que aprende com seus erros. Sábio é aquele que aprende com os erros dos outros". Ouvindo as confidências de outros, eu tive a oportunidade de aprender lições que me pouparam de sofrer na caminhada em busca do amor verdadeiro. Na verdade, escolher esperar não foi minha primeira decisão: antes de esperar, eu escolhi *não sofrer*.

Ainda adolescente, eu desejava muito conhecer alguém especial e me relacionar afetivamente, como qualquer pessoa nessa fase da vida. Eu queria experimentar o que todos experimentavam, mas não queria sofrer como todos sofriam. Comecei a perceber que a maioria se magoava demais na vida sentimental, e muitos demoravam para se recuperar. Meu grande medo era também sofrer, como costumava ocorrer nas histórias que ouvia.

Foi acompanhando as histórias de pessoas próximas que aos poucos me dei conta de que estar sozinho não era algo tão ruim assim. Comecei a ponderar e descobri que havia situações mais difíceis do que estar só, como bem demonstravam tantos relacionamentos frustrantes e decepções amorosas. É difícil ficar só? Para a grande maioria, sim, principalmente se estão muito tempo nessa condição. Encontrar um amor é o grande sonho da vida de quase todos nós, e até os mais pessimistas passarão por essa experiência. Na prática, se observarmos bem, todo mundo se apaixona por alguém pelo menos uma vez na vida. Existem, no entanto, três situações dolorosas que as pessoas deveriam saber antes de se apaixonar. Trataremos delas a seguir.

Gostar de alguém que não gosta de você

É maravilhoso sentir algo especial por alguém, isso ninguém pode negar. Com o tempo, porém, se esse sentimento não for correspondido, aquilo que era bom começa a azedar dentro de nós. O que no início parecia tão doce, agora começa a gerar sofrimento, simplesmente porque cresceu demais e você descobriu que a pessoa especial não sente o mesmo.

É possível que você já tenha passado por isso. Quando eu era mais novo, ficava imaginando a frustração que deveria ser gostar de alguém que não sente nada por você. Passar o dia inteiro pensando em uma pessoa e descobrir que em nenhum momento você esteve nos pensamentos dela. Que coisa terrível! Assim, observando o sofrimento alheio, escolhi que não queria gostar de alguém que não sentisse o mesmo por mim.

Se você tem uma pessoa especial no coração e ainda não se declarou para ela, quero encorajá-lo a interromper a leitura neste momento e abrir o coração para Deus. Não sei se você já teve uma conversa franca com o Pai sobre seus sentimentos. Se nunca fez isso, pare tudo, no lugar em que estiver, e coloque-se diante dele. Não se preocupe em fazer uma oração bonita, mas sim uma que seja sincera. Experimente parar alguns minutos preciosos e orar sobre o que você está sentindo. Como fazer isso? Feche os olhos e ponha o nome da pessoa diante de Deus. Expresse, com suas palavras, de maneira bem simples, suas expectativas em relação a esse sentimento. Ao final da oração, peça: "Mas, Pai, seja feita a tua vontade na minha vida, como é feita nos céus. Em nome de Jesus eu oro. Amém".

Se você não se encaixa na condição acima, mas já viveu a experiência de um amor não correspondido em algum momento da vida — e, certamente, não deseja viver isso de novo —, também gostaria de encorajá-lo a orar neste momento. Ponha nas mãos de Deus qualquer receio de ser rejeitado novamente e peça a ele que o livre de reviver essa situação em sua vida sentimental.

E, se você nunca passou por essa experiência, também quero convidá-lo a interromper a leitura para fazer duas orações: a primeira, de agradecimento, por nunca ter sofrido a dor que é viver um amor não correspondido; e a segunda, pedindo a Deus que o poupe de passar por uma situação dessa.

Estar ao lado da pessoa errada

Se você acha ruim estar só, saiba que alguém descobriu isso muito antes de você. "Então o Senhor Deus declarou: 'Não é bom que o homem esteja só; farei para ele alguém que o auxilie e lhe corresponda'" (Gn 2.18). O próprio Deus viu a necessidade de que Adão tivesse alguém. Mas só isso não foi suficiente; o Senhor pôs na vida dele alguém que lhe correspondesse.

Muitas pessoas sofrem pelo simples fato de estarem sozinhas; ninguém gosta de solidão, no fim das contas. Deus, mesmo em sua divindade, não é só, mas três em um: o Pai, o Filho e o Espírito Santo. Quando o Senhor olhou para o jardim, viu que o homem não ficaria bem se permanecesse sozinho por muito tempo. Adão já havia notado que para cada macho existia uma fêmea. Deus percebeu a carência do primeiro homem e tomou a iniciativa de resolver o problema. Você se sente só?

Saiba que Deus vê suas necessidades e conhece nosso anseio natural de ter alguém que nos corresponda. O Onisciente sabe do que você precisa; por isso, deixe que ele supra suas necessidades, principalmente a carência afetiva.

Estar sozinho não é bom, mas não é a pior coisa do mundo. Existem pessoas tão desesperadas em *ter* alguém que se esquecem de *ser* alguém. A vida não se resume a ter um companheiro. Se você só se sente feliz com alguém ao seu lado, não está precisando de companhia, mas de uma muleta emocional. Relacionamentos amorosos não têm essa finalidade. Cuidado. Se você continuar assim, será sempre refém de suas carências e vítima de muitas decepções, e nunca encontrará alguém que o sacie.

Pior do que gostar de alguém que não se sente atraído emocionalmente por você é estar ao lado da pessoa errada. Todo mundo quer saber quem é a pessoa certa, e uma das formas de começar a descobrir isso é saber identificar quando se está ao lado da pessoa errada. Quando nos relacionamos com a pessoa errada, coisas erradas começam a acontecer. Simples assim. É pouco provável um relacionamento dar certo quando estamos ao lado de alguém que não faz parte do propósito de Deus para nossa vida.

Um relacionamento errado possui certas características. A principal delas é que esse romance é totalmente desajustado. Em primeiro lugar, o namoro afasta você de Deus. Além disso, costuma ser marcado por brigas constantes, ciúmes e cobranças. E uma terceira característica é que esse relacionamento não o faz crescer, e acaba gerando mais tristezas que alegrias.

Em resumo, você percebe que está ao lado da pessoa errada quando o romance torna-se um peso e não proporciona alegrias na mesma medida. Não existem, é claro, relacionamentos perfeitos ou isentos de desentendimentos, porque as pessoas não são perfeitas. Mas os problemas não podem ser a marca das relações afetivas; devem ser a exceção. Tenha certeza de que estar ao lado da pessoa errada é um atraso de vida, e nenhuma má companhia vale o preço de não estar só.

Se você está se relacionando com alguém e se viu nessa condição, não cabe a mim lhe dizer que termine o relacionamento. Mas, se eu estivesse em seu lugar, repensaria se vale a pena seguir adiante. Não se iluda, acreditando que as coisas vão melhorar se, porventura, há tempos são feitas promessas de mudanças e nada melhora — pelo contrário, só piora. Promessas não têm valor algum se não são acompanhadas de atitudes verdadeiras. Nesse caso, continuar não é ter esperança; é alimentar uma ilusão. Contudo, trata-se de uma questão de escolha, e cada um faz a sua. Essa foi minha segunda escolha, pois não queria perder tempo ao lado da pessoa errada.

Outro ditado popular diz: "Antes só que mal acompanhado". Eu, porém, mudaria essa expressão para "Antes só que mal *apaixonado*". Ao contrário do que se pensa, "encalhada" não é aquela pessoa que está sozinha há muito tempo, mas a que está ao lado da pessoa errada. Estar em um relacionamento equivocado é a maior perda de tempo, além de ser um processo doloroso. Um dia a mais ao lado da pessoa errada é um dia a menos ao lado da pessoa certa.

Perder um amor

Se há algo pior do que estar ao lado da pessoa errada é passar pela amarga e dolorosa experiência de perder um grande amor. Conheço pessoas que sofreram tantas decepções amorosas que nem acreditam mais em amor verdadeiro. Na visão delas, um sentimento que dura para sempre só existe em contos de fadas. Em casos mais graves, esses indivíduos feridos chegam a acreditar na mentira de que não foram feitos para o amor.

Quando eu era solteiro e atuava como conselheiro informal, acompanhei centenas de términos de relacionamentos (namoros, noivados e até casamentos) e ficava imaginando o que aquilo representava. Tentava medir a dor que os envolvidos sentiam. Se você já perdeu um grande amor, sabe do que estou falando. É um sofrimento imensurável. Nessas horas, tudo o que eu pensava era: "Meu Deus, será que um dia vou passar por isso? Não quero! Mas seria isso possível?". Essa foi minha outra escolha antes de escolher esperar. Definitivamente, eu não queria sofrer a dor de perder um amor. Assim, preferi continuar sozinho, pelo menos por um tempo.

Eu queria viver o que todo mundo vivia, mas não sofrer como todo mundo que eu conhecia sofria. Naquela época não havia livros, movimentos, apostilas ou ensinamentos sobre o tema. Havia algo conhecido como *Quem ama espera*, importante movimento liderado pelo pastor Jaime Kemp, mas se tratava de uma iniciativa voltada somente para a castidade, para incentivar os solteiros a não ter relações sexuais antes do casamento. Eu nem tinha namorada, de modo que, naquele momento, essa questão não se aplicava a mim.

Faltavam também pessoas que eu pudesse ter como referência. Diferentemente do que vejo hoje, na adolescência eu não conhecia jovens comprometidos, que buscavam a santidade. As pessoas de minha idade que frequentavam a mesma igreja que eu viviam, em sua maioria, como meus amigos que não conheciam Jesus. Tudo o que me restou foi orar e pedir a Deus que me ajudasse. Foi naquele momento de minha vida que, certo dia, brotou em meu coração o dilema: eu desejava viver experiências sentimentais como todo mundo vive, mas não queria sofrer como todo mundo sofre. Prontamente, eu me questionava se isso seria possível.

Descobri, então, algo muito simples, porém transformador. Deus falou-me ao coração de modo especial e inesquecível: para que eu não sofresse como todo mundo sofre, era só parar de viver como todo mundo vive. Se você deseja viver uma nova experiência em sua vida sentimental, isso exigirá novas decisões. Não posso iludir ninguém: o segredo não é escolher esperar, e sim viver uma nova experiência com Deus. Você não viverá algo novo da parte de Deus na área sentimental se não estiver disposto a abrir mão das coisas velhas.

Você deve estar lendo este livro porque deseja encontrar respostas para ser bem-sucedido na vida sentimental. Quase todas as pessoas que você conhece desejam viver um amor para toda a vida. Por acaso alguém que você conhece gosta de sofrer sentimentalmente? Sim, todos desejam viver um grande amor, mas poucos estão dispostos a pagar o preço de esperar por ele.

Por que esperar em Deus? Simples: porque ele tem um plano para todas as áreas de sua vida, inclusive para a sentimental e a sexual. Mas o cumprimento desse plano passa, necessariamente, pelo fator *tempo*. "Há um tempo certo para cada propósito debaixo do céu" (Ec 3.1). Se você verdadeiramente não está mais disposto a sofrer como todo mundo sofre, isso terá um preço: você precisará abrir mão de fazer escolhas erradas, que entristecem o coração de Deus e o afastam do cumprimento das promessas dele para sua vida.

Ser feliz no amor não é uma questão de sorte, mas de escolhas. A vida não é feita de acasos, mas de decisões. Algumas escolhas são muito pessoais, e outros não poderão escolher por nós. Nossas escolhas têm o poder de nos aproximar de Deus, como também de nos afastar dele. Se suas decisões o afastam de Deus, são escolhas tristes.

A pergunta central nesta discussão é: você deseja sofrer como os demais? Não? Então lembre-se de que, para não sofrer como todo mundo sofre, é preciso parar de viver como todo mundo vive. Você já sabe, mas não custa lembrar: você não é todo mundo. Não é porque os outros fazem determinada coisa que você precisa fazer. Se todo mundo faz algo, isso não significa que Deus planejou que seja assim para você. Levei algum tempo para aprender que o errado é errado, mesmo que todos estejam fazendo. E o certo não deixa de estar certo pelo simples fato de ninguém estar fazendo.

Não é possível viver o novo de Deus se estivermos apegados ao que é velho. Para ajustar essa área de sua vida, é preciso fazer novas escolhas, e você não conseguirá tomar decisões sábias em sua vida amorosa fazendo escolhas erradas em outras áreas. Não é uma questão de esperar em Deus ou de simplesmente esperar até o casamento para fazer sexo. Estamos falando sobre algo muito maior. O que está em jogo é o seu destino.

Para a gente pensar

1. Sentir desejo é o mesmo que pecar? Qual é a diferença entre tentação e pecado?

2. De que maneira escolher esperar é também escolher não sofrer?
_____
_____
_____

3. Já gostou de alguém que não gostava de você? Como lidar com isso dentro da proposta de escolher esperar?
_____
_____
_____

4. O que é melhor: ficar sozinho e esperar pela pessoa certa ou se relacionar com alguém só por carência?
_____
_____
_____

5. Vale a pena arriscar sofrer vez após vez em relacionamentos que acabam e deixam dores e frustrações?
_____
_____
_____

Capítulo 3
Mas esperar por o quê?

Numa tarde de junho de 2014, recebemos um telefonema em nosso escritório. Era um jornalista da *Placar*, a maior revista sobre futebol do país. Ele queria fazer uma entrevista sobre o *Eu Escolhi Esperar*. Achei estranhíssimo uma publicação com esse perfil se interessar pelo assunto, mas atendi com o maior prazer, acreditando se tratar de algum equívoco; afinal, que relação haveria entre se guardar sexualmente para o casamento e uma partida de futebol?

Naqueles dias, o país sediava a Copa do Mundo de Futebol. Com exceção do atacante Neymar, a seleção brasileira não contava com astros de renome internacional, como acontecera em edições anteriores do evento. Mas um jovem de cabelos encaracolados ganhou destaque e começou a conquistar o coração dos brasileiros. Era um zagueiro chamado David Luiz. No futebol é muito raro os atletas que jogam nessa posição de defesa se tornarem destaques, mas seu carisma e as boas atuações fizeram dele o nome mais comentado da seleção naquela Copa.

David não era um atleta como qualquer outro. Simpático, brincalhão e atencioso, ganhou a preferência das crianças. Em todo treino, fazia questão de se dirigir aos torcedores, para distribuir autógrafos e tirar fotos. Sua elegância e seu carisma eram peculiares, e isso despertou também uma legião de fãs do sexo feminino. David Luiz se tornou o queridinho do Brasil e o sonho de muitas meninas. Involuntariamente, viu-se transformado numa espécie de "príncipe encantado", e as milhares de mensagens com pedido de casamento chamaram a atenção da mídia internacional.

Por jogar havia muitos anos na Europa, pouco se sabia a respeito dele no Brasil. Por isso, a imprensa começou a vasculhar sua vida: quem eram seus pais, quais eram suas origens, seus passatempos favoritos, seus pratos prediletos e, principalmente, se estava namorando. Foi devido a essa investigação que averiguaram em suas redes sociais que David Luiz seguia o *Eu Escolhi Esperar* e descobriram algumas de suas postagens, que traziam a *hashtag* #EuEscolhiEsperar. Foi quando o jornalista da *Placar* me telefonou para tentar descobrir o que leva um jovem solteiro, famoso, milionário, atraente e talentoso fazer uma escolha como essa. A primeira pergunta que o repórter me fez foi: "David Luiz espera por o quê?". Eu não saberia nem poderia responder a essa pergunta por ele. Mas posso trazer esse questionamento a você.

Você está esperando por o quê? O que o levaria, ou o levou, a tomar uma decisão como essa? Por que você crê que essa deve ser a sua escolha, e até quando você precisa esperar? Muitas pessoas esperam em Deus, mas, na verdade, não possuem uma ideia clara sobre o que estão esperando. Há uma confusão de conceitos e, quando questionadas, dão respostas vazias e sem convicção.

No *Eu Escolhi Esperar*, trabalhamos com dois temas específicos: preservação sexual e integridade emocional. Primeiro, ensinamos a importância de guardar o corpo para viver as experiências sexuais com outra pessoa somente depois do casamento. Segundo, transmitimos a importância de viver algo que chamamos de integridade emocional: ajudar as pessoas a entender o plano de Deus para sua vida sentimental e, por meio de ensinamentos, tentar poupá-las de frustrações amorosas, para que possam construir relacionamentos saudáveis e duradouros.

Se sua decisão é esperar em Deus, ainda que você se esforce em explicar sua escolha e sua postura seja totalmente clara, muitos jamais entenderão. Para a nossa sociedade, esperar em Deus não faz nenhum sentido. É uma decisão, aos olhos do mundo, absurda. É possível que você conheça até futuros pretendentes que não concordarão com essa escolha, e em muitos casos será quase impossível convencê-los a também esperar.

É imprescindível que a pessoa que toma a decisão de esperar saiba a razão pela qual está esperando. Ela tem de saber não para responder aos outros, mas para responder a si mesma, aos questionamentos da alma e às dúvidas do coração que certamente surgirão. Você precisa estar consciente da escolha que está fazendo e ter certeza da disposição em viver com as implicações de sua decisão.

PRESERVAÇÃO SEXUAL

A primeira decisão para aqueles que desejam escolher esperar é a de guardar-se sexualmente para o matrimônio, ou seja, sexo somente no casamento. Em nossos dias, essa opção é considerada ultrapassada e fora de moda. Muitos dizem que se guardar virgem para o futuro cônjuge é coisa do tempo de nossos avós.

Provavelmente quase todas as pessoas que você conhece já tiveram algum tipo de experiência sexual. Manter-se intocado para o casamento tornou-se raridade. Mesmo na igreja, a grande maioria não se guardou, e muitos continuam não se guardando. Parece que todos que fazem sexo antes do casamento veem nisso algo normal e estão convencidos de que não há mal algum na prática. Acreditam que nada acontecerá se continuarem se relacionando intimamente. Garantem que é natural duas pessoas que se amam de verdade terem relações, e estão convencidas de que não perdem nada quando fazem sexo antes do casamento.

Uma pesquisa do Bureau de Pesquisa e Estatística Cristã (BEPEC) sobre a sexualidade dos jovens cristãos revelou que, de cada dez jovens solteiros que frequentam alguma igreja hoje, pelo menos seis deles já não são mais virgens.[1] Ou seja, os jovens sabem que devem esperar, mas, na prática, não conseguem e acabam mantendo relações sexuais antes do casamento.

Há ainda outra realidade: muitas mulheres até desejam esperar, mas elas têm a impressão que os homens não estão dispostos a isso. Mulheres com mais de 18 anos enfrentam um grande dilema na vida amorosa, que é conseguir encontrar um pretendente disposto a esperar para ter relações sexuais somente no casamento. Tenho percebido que a grande maioria dos homens quer namorar moças virgens, mas, quando as encontram, não querem esperar até o casamento para ter relações. E muitas jovens desistem de esperar com medo de perder o namorado. Na maioria dos casos, os rapazes conseguem tirar a virgindade das moças, e ostentam isso como um troféu. Por fim, acabam rompendo com elas, fazendo-as amargar a vergonha de não ser mais virgens — um estigma que as acompanhará no próximo relacionamento.

---

[1] Disponível em: <http://www.bepec.com.br/pdf/ocrenteeosexo/crenteosexo.pdf>. Acesso: em 10 de abril de 2015.

Para mulheres mais velhas, o cenário é ainda mais desafiador. As que têm idade acima de 30 anos me dizem que parece impossível encontrar um homem disposto a aceitar uma decisão dessa. Muitas moças me escrevem, dizendo: "Eu escolhi esperar, mas, quando digo isso para os homens que estou conhecendo, eles até acham legal, mas desaparecem em seguida. A maioria alega que não aguentará esperar e insiste para ter relações".

Evidentemente, existe o outro lado da moeda: homens que até desejam esperar, mas não conseguem porque a moça não ajuda. Os que namoram sofrem fortes tentações, porque a namorada é sensual, provocativa e assanhada. O casal não percebe, mas as carícias e a intimidade física crescem a tal ponto que esperar para ter relações sexuais no casamento se torna praticamente impossível. Muitas mulheres (até mesmo as adolescentes) estão sexualmente ousadas e usam sua sensualidade para conquistar os homens.

Se você é um rapaz, entenda que pureza sexual também é coisa para macho, independentemente de sua idade ou de quantas parceiras sexuais você já teve na vida. É diabólico o argumento "Sou homem; é mais difícil", ou algo do tipo "Já tive relações sexuais; é impossível segurar agora". É mentira que todo homem é safado. Todo homem safado é safado. Existem homens safados e homens de Deus. Seja um homem segundo o coração de

Deus, e você conhecerá o primeiro homem diferente de todos os outros que já conheceu.

A despeito de você ser homem ou mulher, uma coisa é certa: sempre haverá fortes argumentos para convencê-lo a não esperar para ter relações sexuais somente após o casamento. Dificilmente você encontrará apoio de seus amigos de escola, faculdade ou trabalho. Possivelmente, até em sua igreja há pessoas que não estão esperando. Esteja certo de que você sofrerá muita pressão para ter relações sexuais antes de subir ao altar, e argumentos para isso nunca faltarão. Veja o que me escreveu um rapaz:

> Nelson, conheci seu trabalho e percebo a grande influência que ele tem exercido em milhares de jovens. Mas há um grande equívoco em sua mensagem em relação ao sexo somente no casamento. Onde você se baseia na Bíblia para condenar a relação sexual antes do casamento? Mostre-me um texto que revele que o sexo antes do casamento é pecado. Na Bíblia não encontrei nenhum texto que reprove a prática sexual antes do casamento. Entre dois namorados que se amam, se respeitam, estão comprometidos, que irão se casar e em comum acordo desejam ter relações sexuais não há pecado.

Por que Deus manda esperar até o casamento? Se duas pessoas se amam e vão se casar, por que não agora? No tempo dos patriarcas da Bíblia, não havia cartório ou igrejas para firmar o matrimônio, e casais como Adão e Eva, Abraão e Sara, Isaque e Rebeca, e Jacó e Raquel tiveram relações sexuais. Em que momento Deus considera duas pessoas casadas? Seria um papel no cartório? Seria uma cerimônia religiosa?

Quando alguém me pergunta onde a Bíblia diz que sexo antes do casamento é pecado, de fato preciso concordar com algo: você não vai encontrar na Palavra de Deus nenhum texto que diga *sexo antes do casamento é pecado*. Mas existem muitas referências que condenam sua prática antes do matrimônio. Para responder por que o sexo pré-marital é pecado aos olhos de Deus, é preciso entender primeiro o que é o casamento.

Por que não antes?

Para muitos, o casamento se concretiza seguindo alguns passos: primeiro, um tempo de namoro para que o casal se conheça; depois, algo mais sério, como um noivado; e, somente depois, uma grande preparação para o casamento. Esse é o ciclo comum da maioria dos casais cristãos. Alguns, por um motivo ou por outro, não seguem essa ordem, mas, em geral, é assim que funciona.

Casar-se exige planejamento: contratação de serviços de bufê e filmagem; procura de um lugar para a lua de mel; escolha de uma igreja, do vestido da noiva e dos padrinhos; busca por um cartório; entre outras coisas. Só depois de um longo processo o casamento ocorre. Tudo isso faz parte do cenário, mas não são essas coisas, propriamente, que estabelecem o casamento. Ele se realiza mesmo em outro momento muito especial.

Não é nada disso que sacraliza o matrimônio. Casar no cartório é obrigatório em nosso país, pois é por meio desse ato que oficializamos e legalizamos a união. Mas, quando duas pessoas se unem no cartório, elas não estão liberadas para ter relações sexuais se a cerimônia não acontecer no mesmo momento. A celebração religiosa é fundamental, pois é por meio dela que testemunhamos publicamente a decisão de constituir uma família. É nela que recebemos a bênção dos pais e de Deus para o enlace matrimonial. Porém, nenhum líder religioso pode celebrar um casamento se os noivos não o legalizaram no cartório. Há casamentos que acontecem no que chamamos de "cerimônia religiosa com efeito civil", o que significa que o casal está se casando no papel e na igreja ao mesmo tempo. Mas o cartório e a cerimônia de casamento ainda não consumam o casamento.

A definição do casamento é apresentada logo no segundo capítulo da Bíblia: "Por essa razão, o homem deixará pai e mãe e se unirá à sua mulher, e eles se tornarão uma só carne" (Gn 2.24). Deus considera duas pessoas casadas após três etapas serem cumpridas:

- *Deixará pai e mãe.* Para duas pessoas se casarem, é preciso acontecer a emancipação. Casamento não é independência, como pensam os que buscam casar para se livrar dos pais e sair de casa. Outros querem casar e não desejam cortar esse vínculo familiar; casam, mas continuam apegadas aos pais e dependentes deles. Casamento é emancipar-se. Não é abandonar os pais, mas desligar-se da família de origem para formar um novo núcleo familiar.

• *E se unirá à sua mulher (ou ao seu marido).* Nesse caso, para duas pessoas se casarem é preciso que o homem assuma sua esposa. Ou seja, saem de casa e constroem a vida juntos. Significa que, daquele momento em diante, os cônjuges se despem de tudo o que são para se tornar um e assumir um compromisso que não tem mais volta: o que Deus uniu, o homem não separa. É uma decisão para sempre.

• *E eles se tornarão uma só carne.* Aqui está a primeira referência a relações sexuais na Bíblia. Não está escrito *sexo*, mas é a intimidade sexual que nos torna uma só carne com a outra pessoa. A relação sexual é o ato que consuma a aliança; por meio do sexo deixamos de ser duas pessoas distintas e nos tornamos uma pessoa só. O sexo sela um pacto.

A relação sexual é muito mais que uma demonstração íntima de carinho entre duas pessoas apaixonadas. O sexo é a aliança que une duas pessoas para sempre, tornando-as uma só carne para o resto da vida. Pode ter sido uma única vez, pode ter sido algo rápido. Pode ter sido com um desconhecido de que não se sabe sequer o nome, mas toda relação sexual tem esse poder.

Deus criou o sexo com uma finalidade clara: estabelecer uma aliança entre duas pessoas. Toda relação sexual em que ocorre a conjunção carnal (ou seja, a penetração), independentemente das circunstâncias, é o ato que estabelece a unidade entre elas. Diante de Deus, a relação sexual não é algo à parte, que ocorre fora do casamento. Ele criou o matrimônio e, dentro dele, estabeleceu a aliança que é sacramentada pela relação sexual. Quando uma pessoa se entrega sexualmente a outra, está, mesmo sem saber, unindo-se a ela numa aliança. Perceba como isso é muito sério.

O sexo proporciona prazer

O sexo é algo profundamente prazeroso, e essa é a principal razão pela qual muitos não estão dispostos a esperar até o casamento para desfrutar dele. Depois da queda no Éden e da entrada do pecado na natureza humana, os seres humanos começaram a querer desfrutar do prazer que o casamento proporciona sem assumir os deveres exigidos pela aliança do casamento. O Diabo está destruindo a felicidade e o futuro de muitos, levando-os a ter relações sexuais sem antes assumir os dois passos anteriores que o casamento requer: deixar pai e mãe e assumir o cônjuge.

Há outro texto na Palavra de Deus que confirma que o sexo é uma experiência para o casamento. Paulo escreveu: "Vocês não sabem que aquele que se une a uma prostituta é um corpo com ela? Pois, como está escrito: 'Os dois serão uma só carne'" (1Co 6.16). Paulo está ensinando o poder da relação sexual. Visto que as pessoas estavam fazendo sexo sem se casar, ele dedica um longo trecho para falar da imoralidade sexual que ocorria na igreja de Corinto.

Deus criou o casamento, e ele acontece por meio do sexo. Quando as pessoas escolhem ter relações sexuais sem casar, a Bíblia não chama isso de *sexo antes do casamento*, mas de *prostituição*, *fornicação* (ou *imoralidade sexual*) e *adultério*, dependendo da versão da Bíblia. Existem diversos textos nas Escrituras que fazem menção a alguns desses pecados sexuais e nos ajudam a entender o plano de Deus para a vida sexual de um cristão, como Mateus 5.32; 1Coríntios 5.1; 6.18; 7.2; Gálatas 5.19; Efésios 5.3; Colossenses 3.5; 1Tessalonicenses 4.3; Apocalipse 2.21; 9.21.

O sexo é um presente especial de Deus, e presentes especiais nós reservamos para momentos especiais, ao lado de pessoas especiais. E o sexo, em particular, é um presente para o casamento que selará nossa união para sempre.

Se você é virgem, quero encorajá-lo: vale a pena esperar por algo que vai durar pela vida inteira. Virgindade não é algo que se perde, mas um presente que se dá. Eu não perdi minha virgindade com a Angela, minha esposa; eu a presenteei com algo importante, reservei-me para a única mulher da minha vida, e ter esperado por ela foi a grande prova de amor. Só se é virgem uma vez. Angela se casou virgem, mas não perdeu a virgindade comigo; ela me presenteou com o que de mais íntimo ela poderia me oferecer. E afirmo, categoricamente: é uma experiência extraordinária.

Se você não é mais virgem, não fique triste nem se deixe abater. Não está tudo perdido. Nunca é tarde para fazer aquilo que é certo, para tomar novas decisões e viver novas escolhas. Os erros do passado não poderão apagar o brilho e a importância das decisões certas que você tem feito em Deus hoje. O Senhor é um Deus de recomeços e de novas chances, um especialista em reconstruir histórias. Falaremos mais sobre isso no capítulo 4.

INTEGRIDADE EMOCIONAL

A segunda decisão para aqueles que desejam esperar no Senhor é procurar guardar-se emocionalmente. Durante muito tempo, as igrejas ensinaram aos jovens que guardar-se para o casamento resume-se em abstinência sexual, ou seja, praticar sexo somente no casamento. Não está errado, mas está incompleto. Guardar-se vai muito além de evitar relações sexuais no namoro.

Tenho visto uma geração que busca viver em santidade, inclusive no âmbito sexual. Existem milhões de jovens no Brasil que guardam o corpo mediante a busca do Senhor, para não cair em tentações. Há inúmeras pessoas evitando a intimidade física, enquanto outros esperam para dar o primeiro beijo só no altar. Contudo, algo tem me chamado a atenção: as pessoas estão certas ao guardar o corpo, mas muitas se esquecem de guardar o coração. Como já dissemos anteriormente, tão importante como preservar o corpo para o casamento, é primordial que guardemos o nosso coração, "pois dele depende toda a [nossa] vida" (Pv 4.23).

Existem pessoas lindas, cheias do Espírito Santo, que buscam experiências sobrenaturais com Deus, mas que se envolvem em romances que acabam ferindo-as emocionalmente. Em casos mais graves, tenho visto que a vida sentimental pode matar a fé, os sonhos, as alegrias e o futuro de muitas pessoas dentro das igrejas, o que as leva quase sempre à frieza espiritual.

A morte física é algo impressionante, principalmente pela dor que provoca no coração dos que ficam. Com toda a tecnologia, com tantas pesquisas científicas e descobertas disponíveis para a humanidade, até hoje não inventaram uma fórmula capaz de amenizar a mais antiga de todas as dores: a provocada pela morte de alguém que amamos. A humanidade não sabe lidar com a perda de um ente querido. E isso ocorre simplesmente porque não fomos feitos para morrer. Quando Deus criou o homem, a morte não fazia parte do plano original. Ela é um acidente de percurso, por causa do pecado: "Pois o salário do pecado é a morte" (Rm 6.23). Visto que não fomos feitos para morrer, não estamos programados para superar com facilidade essa separação.

É necessário menos que a morte para se matar alguém. Terminar um relacionamento é, para muitos, como a dor da morte. Afinal, esse tipo de separação também é perder um ente querido. Já pensou por que sofremos tanto quando perdemos alguém que amamos, mesmo que essa pessoa não tenha morrido? Salomão escreveu: "... o amor é tão forte quanto a morte" (Ct 8.6). O amor é comparado à morte por causa da dor que provoca quando é interrompido.

Deus viu que não era bom que o homem estivesse só (Gn 2.18). Isso não significa, porém, que era bom que o homem se relacionasse com muitas mulheres. Deus criou *uma* companheira para Adão, e não uma multidão delas. Deus formou Eva para suprir uma das muitas necessidades que o homem teria pela falta de alguém. No entanto, Deus não fez diferentes mulheres para que Adão, depois de várias experiências e tentativas, ficasse com aquela que, no final, julgasse ser a melhor opção para ele.

Adão teria apenas uma experiência sentimental com alguém. E esse alguém era Eva. O plano original de Deus era uma só companheira. Sei que soa radical para os dias em que vivemos, e é mesmo, porque é algo muito sério. Para mim é desconfortável falar sobre isso, porque confronta a realidade emocional da esmagadora maioria das pessoas. Deus não nos criou para diferentes indivíduos, para que experimentássemos relacionamentos variados. O plano original de Deus é que tivéssemos em nossa vida uma só pessoa.

Ouvi uma frase da qual nunca me esqueci: "As pessoas que passam por nossa vida, quando se vão, não nos deixam sós. Deixam um pouquinho de si e levam um pouquinho de nós". É justamente por isso que se deve guardar o coração. O envolvimento emocional, assim como o envolvimento físico, deixa suas marcas — e algumas delas levaremos para o resto da vida. As pessoas podem até passar, mas as marcas ficam.

Aprendemos desde crianças que namoro é algo inofensivo, e somente o casamento é sério de verdade. E mais: ouvimos que um namorico não faz mal a ninguém. Eu não sou contra as pessoas desenvolverem um romance antes do casamento; isso seria até tolice. O problema é quando fazem isso sem o propósito do casamento. A questão que quero tratar aqui não está em iniciar um relacionamento emocional com alguém; a maior implicação é quando precisamos terminar esse relacionamento. Se um romance não dá certo, alguém sempre sai machucado, pois rompimentos sempre deixam feridas.

Lembro-me de uma dinâmica de grupo que vi certa vez. O pregador separou algumas folhas de papel, cada uma de uma cor, todas cortadas em forma de coração. Primeiro ele pegou o pedaço de cor amarela, passou cola e uniu ao vermelho. Esperou o tempo passar e depois pediu que um voluntário da plateia tentasse descolar as folhas. Elas foram separadas, mas, por causa da cola, partes da folha amarela se rasgaram e ficaram coladas à vermelha, e vice-versa. O pregador repetiu a dinâmica mais três vezes, unindo os mesmos corações às outras cores ali representadas. Tente imaginar como tudo terminou: foi uma mistura de cores. Porém, o pior de tudo é que a dinâmica mostrou que ficaram faltando pedaços de todos os corações. É isso que, na prática, acontece quando nos envolvemos com alguém sem a direção de Deus. Por menor que seja o envolvimento, ele é suficiente para marcar nosso coração.

Se você aprendeu que, antes de casar, precisa viver muitos relacionamentos até que um "dê certo", peço, por amor a si mesmo, a seu futuro cônjuge e a seus futuros filhos, que reconsidere seus fundamentos e princípios.

Costuma-se pensar que adultério é somente a prática sexual fora do casamento. Adultério, na verdade, é toda e qualquer distorção do estado original de algo. O plano original de Deus não incluía que nos envolvêssemos com várias outras pessoas ao longo da vida. Quando não obedecemos ao propósito divino, estamos adulterando o plano original do Senhor; consequentemente, essa quebra de princípios resultará em dor.

─────── Para a gente pensar ───────

1. O que é e qual é a importância da preservação sexual?
___
___
___

2. O que é e qual é a importância da integridade emocional?
___
___
___

3. De acordo com o que você leu neste capítulo, explique com suas palavras qual é a importância de ter relações sexuais somente após o casamento.
___
___
___

4. Explique da maneira mais completa que você puder o que é uma relação sexual.
___
___

5. Em sua opinião, o que significa "guardar o coração"?

Capítulo 4
Eu não esperei, e agora?

Em 2012, organizamos o seminário *Eu Escolhi Esperar* em São Paulo. Durante o evento, uma jovem de 20 e poucos anos, bem vestida, perfumada e muito simpática aproximou-se de minha esposa na loja que tínhamos montado e disse: "Eu queria tanto poder usar uma camisa do *Eu Escolhi Esperar*... mas não seria muita hipocrisia da minha parte usar uma camisa dessa se minha família sabe que não esperei? Todos lá em casa sabem que até dois anos atrás eu dormia com meu ex-namorado. Ah, se eu pudesse voltar no tempo...".

Enquanto escolhia itens da loja, a jovem continuou: "Sabe, eu não esperei, mas desde que participei do primeiro seminário de vocês, no ano passado, nunca mais fui a mesma e, agora, eu escolhi esperar!". Foi nesse momento que Angela exclamou: "Ué, então você pode usar a camisa; afinal, agora você escolheu esperar!". Espantada, a moça explicou que, no fundo, sentia uma condenação por não ter esperado.

Assim como aquela jovem, muitas pessoas carregam um fardo pesado de acusação e culpa por não terem esperado. Em aconselhamentos pessoais, algumas costumam expressar certo peso por não serem mais virgens e temem que, de alguma forma, isso possa estar interferindo na vida delas até hoje. É possível perceber o arrependimento por terem feito, em algum momento, escolhas erradas, mas só conseguem perceber o tamanho do erro quando começam a colher as consequências do pecado. Conheço indivíduos que não se perdoam, principalmente as mulheres.

Muitos não apoiam ou deixam de participar da *Eu Escolhi Esperar* por achar que é uma campanha somente para virgens. Mas uma grande quantidade de pessoas que já tiveram relações sexuais aderiu e decidiu esperar até o casamento para retomar essas experiências.

Em junho de 2011, assim que o *Eu Escolhi Esperar* ganhou fama na internet, dei uma entrevista para a revista *Superinteressante*. Eu tentava explicar a proposta para a jornalista não cristã, que se portou de forma muito educada, e me chamou a atenção o espanto que existe em relação ao que propomos: ensinar que o sexo deve ser praticado somente no casamento. Quando apresentei as estatísticas do sexo para a repórter, ela me perguntou:

— Você não fica desanimado com esses números? Metade dos jovens evangélicos não espera até o casamento para ter relações sexuais. Parece que a campanha de vocês não surte muito efeito.

Eu respondi:

— Pelo contrário, esses números me inspiram! São otimistas demais!

— Como assim? — ela rebateu.

— Esses números estão diminuindo; já foram bem maiores! Os jovens se guardavam menos; agora se guardam muito mais.

A verdade é que há uma nova geração se levantando, e esses índices baixarão mais e mais. Os frutos, nós colheremos no longo prazo.

POSSO ESPERAR AGORA?

Certo dia, cheguei à casa da Angela e ela parecia triste. Estávamos noivos havia apenas seis meses, mas decididos a casar quanto antes. Eu estava convicto de que ela era a mulher da minha vida e queria me casar com ela. Angela, porém, me disse:

— Junior, precisamos conversar.

Na hora, senti um frio na barriga. Olhando para mim, visivelmente entristecida, começou a abrir o coração:

— Andei pensando sobre nós dois, e acho que não sou a mulher que Deus preparou para você.

Quando ela disse isso, fiquei sem chão. Naquele instante, minha cabeça deu um giro, e os segundos se tornaram uma eternidade. Pensei: "Já até sei aonde vai esta conversa. Ela está falando isso para terminar comigo. Esperei sete anos justamente para não ter de passar por isso! Tolo, esperei à toa". Naquele instante, lembrei-me de uma declaração de Jó: "O que eu temia veio sobre mim; o que eu receava me aconteceu" (Jó 3.25). E preparei meu coração para ouvir o pior. Perguntei:

— Por que você acha isso?

— Junior, se eu fosse a mulher que Deus lhe preparou, acho que ele não estaria sendo justo com você — respondeu.

Imediatamente, indaguei:

— Como assim, Angela?

Ela, pacientemente, começou a explicar suas razões:

— Junior, você esperou por mim sua vida inteira. Vejo alegria em seu rosto em tudo o que faz ao meu lado. Tudo o que você faz comigo é a sua primeira vez. Você dá valor às mínimas coisas, a cada minuto, a cada encontro. As coisas mais simples tornam-se especiais para você, porque esperou muito por isso.

De fato, era assim que eu agia. Antes de conhecê-la, tudo o que até então eu fazia sozinho, eu me via, pela fé, fazendo ao lado da mulher da minha vida. Ficava sempre sonhando com o dia em que poderia fazer as coisas ao lado de alguém especial. Quando conheci Angela, eu sempre dizia: "É a primeira vez que estou fazendo isso e ao lado da mulher da minha vida". Eu havia esperado anos para viver aqueles momentos e, quando eles aconteciam, eram preciosos para mim. Ela prosseguiu:

— Às vezes sinto que não sou a mulher que Deus preparou para você. Penso que ele não está sendo justo, pois você esperou por mim, mas eu não esperei por você. Acho que você merece uma pessoa igual a você, que tenha esperado também.

Angela se casou virgem. Observe que não estou falando sobre sexo. O relacionamento amoroso não se resume ao sexo. Se fosse assim, as pessoas mais promíscuas seriam as mais felizes e realizadas no amor; pelo contrário, são as mais desajustadas. Estou falando de romance, momentos especiais, situações inesquecíveis, relacionamento duradouro, vida sentimental saudável, lealdade, companheirismo e amizade. Angela se referia ao fato de já ter namorado outros rapazes antes de mim.

Quando ouvi aquilo, aproximei-me dela, peguei sua mão com todo o carinho e disse que valorizava os momentos únicos de espera por ela, para que soubesse como estar em sua companhia a cada primeira vez era especial para mim. Eu queria que ela percebesse como cada encontro com ela era maravilhoso. Era importante para mim que ela soubesse disso. Então perguntei:

— Você acha isso feio, Angela? Se faz mal a você, eu paro. Não imaginava que isso lhe traria sofrimento. Mas não precisa terminar comigo por causa disso — e fiz uma proposta. — Vamos fazer um acordo? A partir de hoje, não falo mais disso. Tudo bem assim? Mas, por favor, não termine comigo por esse motivo.

Naquele momento, meio chorando e meio sorrindo, ela respondeu:

— Não, Junior! Não é isso! Eu não acho feio. Na verdade, é lindo! É um presente encontrar um rapaz na sua idade e saber que, em todo esse tempo, você se guardou para me esperar. É maravilhoso. O que me dói é que, sempre que você olha para mim e diz: "Eu esperei esse tempo todo só para fazer isso com você", eu gostaria tanto de poder dizer o mesmo, mas não posso, porque não o esperei.

Eu olhei fixamente em seus olhos e perguntei:

— Mas, então, você se arrepende disso?

E ela me disse:

— Ah! Se eu me arrependo? Se pudesse voltar no tempo... — nesse momento ela fez uma pausa e começou a chorar. — Só agora que o encontrei vejo quanto tempo perdi porque não o esperei. Valorizei pessoas erradas e disse que amava quem um dia me fez chorar. E, agora que encontro um homem que me deseja fazer feliz para toda a vida, queria poder dizer que também o esperei, mas não posso.

Naquele ponto da conversa, percebi que Angela estava vivendo um arrependimento genuíno. Esse é um aspecto importante para as pessoas que não esperaram, mas gostariam de ter esperado, tanto na questão da preservação sexual quanto na da integridade emocional.

Para isso, precisamos fazer uma diferenciação entre dois conceitos que entram em cena nesse momento: *arrependimento* e *remorso*. Arrependimento é seguir por um caminho diferente do que vinha sendo trilhado durante o erro; já remorso é apenas uma inquietação causada pelo entendimento de que há culpa.

Angela estava genuinamente arrependida, e isso segundo os padrões de Deus, e não de acordo com a tristeza do mundo. Perguntei a ela se cria que, se orássemos, Deus poderia fazer uma obra nova no coração dela. Que as marcas e as feridas do passado ficariam para trás e que ele realizaria algo maravilhoso e restaurador em sua vida. Ela respondeu:

— Eu creio!

Então oramos juntos naquele dia e pedimos um milagre de recomeços. Deus fez uma obra sobrenatural não só no coração da Angela, mas também no meu. Ela experimentou o poder sobrenatural do perdão de Deus e de seu infinito amor. "Portanto, se alguém está em Cristo, é nova criação. As coisas antigas já passaram; eis que surgiram coisas novas!" (2Co 5.17). Nós depositamos aos pés do Senhor todo peso e toda acusação. Ele restituiu a alegria que foi roubada. Mais ainda: daquele dia em diante, tudo o que Angela fazia ao meu lado parecia a primeira vez dela.

Não foi somente Angela que aprendeu com essa lição. Eu também experimentei algo tremendo. Durante boa parte da vida, havia aprendido com outros homens que o mais importante era ser o primeiro na vida de uma mulher, principalmente no que se refere à relação sexual. Se você é uma mulher, saiba que a maioria dos homens, até os cristãos que não conhecem os padrões de Deus, exibe isso como um troféu. Os homens disputam para ser o primeiro na vida de uma mulher, atitude que é fruto de uma triste cultura machista — e até maligna —, implantada entre aqueles que ainda estão debaixo da influência do mundo.

Apesar de Angela ainda ser virgem, em alguns momentos eu ficava triste por não ter sido o primeiro em outros aspectos de sua vida. Lamentava não ter sido o primeiro rapaz por quem ela se apaixonou, por exemplo, ou por não ter sido comigo sua primeira paquera, seu primeiro jantar, seu primeiro beijo. Talvez não faça diferença para você, mas tudo isso acaba se tornando muito importante para a maioria das pessoas que conheço.

Precisei aprender uma preciosa lição. Jesus me ensinou que o homem mais importante na vida de uma mulher não é o primeiro, e sim aquele que não deixa um próximo existir. O homem mais importante na vida de uma mulher é aquele que permanece para sempre. Eu de fato não era mais o primeiro; mas, tornei-me o mais importante para ela.

Recebo sempre perguntas sobre isto por *e-mail*: pessoas que ainda são virgens e acabam pondo em dúvida um relacionamento porque o outro não esperou. Talvez a sua história seja igual à minha; você pode ser uma jovem virgem que encontrou, ou encontrará, um rapaz que não esperou. Você não foi a primeira na vida dele, mas, na verdade, o que importa é que você encontre um pretendente que a deseje para sempre. Aprenda que a mulher mais importante na vida de um homem não é a primeira, mas aquela que ele escolhe para ter como esposa, para chamar de sua. Aquela que ele decide que será a mãe de seus filhos e com quem deseja envelhecer. Se for o seu caso, você precisa se desprender desse fantasma do passado e perdoá-lo. O mesmo vale se você é um homem virgem, que está esperando até encontrar uma mulher especial, que descobrirá não ser mais virgem. Liberte-se dessa tirania machista e cruel. Talvez você pense que não suportará saber que no passado dela já houve outros. Mas é importante saber que encontrará sempre alguém — mesmo virgem — com histórias do passado que podem ser muito piores que as de uma moça que não é mais. Há virgens no corpo que são psicologicamente adoecidas de alma, pois enfermidades na alma não dependem da perda do hímen. A questão é: ela é a pessoa que você gostaria de ter ao seu lado para sempre?

Naquele dia, o Senhor curou o meu coração e o de Angela. A parte boa da história é que, a partir daquela conversa, Deus fez tudo novo no coração dela, assim como na primeira vez. Milagrosamente, vivemos nossa relação sem as marcas de seus relacionamentos anteriores. Pela primeira vez, ela se relacionava com alguém que desejava um compromisso de casamento. Porque, antes, ela só conhecera meninos que a desejavam para um relacionamento momentâneo. Agora, ela estava com alguém que planejava viver ao seu lado pelo resto da vida. E, desde 1995, temos visto Deus escrever cada capítulo de nossa história de amor, de maneira muito mais criativa que qualquer produção cinematográfica.

Até aqui falei da parte boa da história. Mas há a parte linda, que começa no *agora*: a obra que Deus vai fazer em sua vida hoje! Independentemente do que você já tenha feito, Deus está sempre pronto para os recomeços. Pessoas me escrevem, dizendo: "Sua história é linda. Eu queria muito viver isso, mas, infelizmente, não esperei". E eu sempre pergunto: "Mas e agora? Qual é a sua escolha?". E, imediatamente, as pessoas respondem: "Já quebrei a cara tantas vezes. Já sofri demais! Há algum tempo, eu também escolhi esperar".

Com Deus, sempre é tempo para novos começos e nunca é tarde para novas escolhas, não importa a quantidade de erros cometidos. Não permita que as falhas do passado roubem de você a oportunidade de viver um novo tempo. Se você viver apegado ao que passou, vai perder o que Deus tem para você no presente e se atrasar para o futuro. Não é porque cometeu erros um dia que seu destino está estragado, como se fosse uma rota incorrigível. Ter errado outras vezes não significa que será assim para sempre.

Se você está emocionalmente abalado, Deus não vai remendar seu coração. Ele é poderoso para curar você e fazer uma obra nova e restauradora. Deus é um Pai de amor, e sua especialidade é reconstruir prazerosamente a história daqueles que não têm mais esperança. Até aqui você pode ter vivido do seu jeito, escrito sua história; agora, você pode ver sua vida sentimental e sexual ser reescrita pelo Senhor. Quero encorajá-lo a trocar de mãos a caneta que escreve a história de sua vida. Entregue-a ao Pai celestial e, assim como ocorreu com tantas pessoas que conheço, deixe que ele escreva uma bela e verdadeira história de amor.

Oro para que o Senhor lhe fale de uma forma especial e transformadora, onde você estiver, a despeito de como esteja sua vida sentimental. Neste momento, não importa se você está com alguém ou não, se já se relacionou com uma ou muitas pessoas. É importante que pare tudo agora e peça a Deus que inicie uma obra nova em sua vida; peça a ele que apague todas as marcas que relacionamentos anteriores podem ter deixado. Creio que o Senhor pode curá-lo e visitá-lo com uma graça infinita de perdão. Este é um tempo de recomeços para você, e precisamos pôr diante de Deus todas as feridas do passado, a fim de recebermos um novo coração.

QUAIS SÃO AS CONSEQUÊNCIAS POR NÃO TER ESPERADO?

Muitas pessoas me escrevem perguntando sobre as consequências por não terem esperado. Há quem tenha profunda compreensão de que o sexo é uma aliança que une duas pessoas. Com isso, porém, ficam atônitas e reflexivas acerca de como se define a condição para alguém que não esperou, e desejam saber as implicações e as consequências por não terem esperado até o casamento.

Se a relação sexual pode unir duas pessoas, como desfazer essa união no caso daqueles que já tiveram relações sexuais com o atual namorado, um ex ou até mesmo um desconhecido? E como ficaria a situação de alguém que viveu numerosas relações sexuais com diferentes parceiros ao longo da vida? Recebi o *e-mail* de uma jovem que precisava de um direcionamento sobre sua condição e um esclarecimento para seus medos. Ela escreveu:

> Antes de entrar para a igreja, namorei alguns rapazes. Tenho 23 anos e estou na faculdade. Sempre mantive relações sexuais com meus namorados, pois era algo muito normal entre as pessoas da minha idade. Entendo agora que o sexo deve ser praticado somente no casamento. Eu escolhi esperar, mas tenho muito medo de que Deus me castigue quando casar. Tenho medo até de ter filhos, pois receio que nasçam com problemas por causa do meu pecado. Outra coisa que me

aflige: se o sexo é uma aliança, como posso me desprender dos vínculos sexuais que tive no passado?

Se você já viveu experiências sexuais fora do casamento, provavelmente dúvidas parecidas lhe passaram pela cabeça ao ler o que escrevi sobre o plano de Deus para o sexo. Na Bíblia, de fato, há textos muito claros sobre a ação do pecado e suas consequências. Mas as Escrituras também trazem a mensagem do evangelho de Cristo, as boas-novas de salvação. É aqui que toda a nossa história muda. Assim como a Bíblia denuncia o pecado, ela anuncia a redenção! A obra de Jesus é triunfante, libertadora e regeneradora. Em Cristo alcançamos a remissão de nossos pecados e delitos. O castigo que nos traz a paz estava sobre ele na cruz. Todo escrito de dívida contra nós foi rasgado.

Neste ponto, gostaria de dar orientações diferentes, fruto dos mais de vinte anos dedicados ao aconselhamento pastoral. Primeiro, para pessoas que tiveram relações sexuais antes da conversão. Segundo, para aqueles que praticaram sexo depois de convertidos.

Antes da conversão

Se você viveu uma vida de promiscuidade antes de conhecer Jesus, é importante saber que, quando nascemos de novo, somos feitos novas criaturas. Deus é poderoso para realizar infinitamente mais que tudo o que pedimos ou pensamos. Todos os nossos pecados estão perdoados, e todos os vínculos malignos do passado, desfeitos. Isso é verdade, a despeito de você ter se relacionado sexualmente com apenas uma pessoa ou com várias. Inclui até mesmo experiências com outros do mesmo sexo. Desfrute da obra libertadora de Jesus.

Se, mesmo sabendo de tudo isso, você ainda sente peso, culpa ou lembranças acusatórias, pode ser necessário um acompanhamento mais íntimo, um aconselhamento pastoral ou até a ajuda de um psicólogo cristão de sua confiança. Esses irmãos estão preparados para ajudá-lo a vencer essas lutas e orar com você especificamente sobre tais assuntos. Por minha experiência, vejo que a libertação plena nessa área é um processo, e existem mudanças que não ocorrem de um dia para o outro.

Após a conversão

Se você mantém ou já manteve relações sexuais depois de ter se convertido, sua condição é diferente. Afinal, já conhecia a verdade e decidiu quebrar por livre vontade um princípio divino. As consequências do pecado nesse caso são diferentes do que acontece com alguém que pecou antes de conhecer as Escrituras Sagradas. Apesar disso, a Palavra de Deus também oferece esperança: "Quem esconde os seus pecados não prospera, mas quem os confessa e os abandona encontra misericórdia" (Pv 28.13).

Se você não tem resistido às tentações sexuais e vem caindo no pecado da imoralidade sexual, é preciso praticar essa orientação. Perceba o que está escrito sobre a ação do pecado: "Quem esconde os seus pecados não prospera". Pecados ocultos são uma das razões pelas quais muitos solteiros não têm sucesso em sua vida amorosa, apesar de serem membros de igrejas.

Mesmo que neste momento você não esteja mais praticando sexo por não estar namorando, mas tem um passado de relações sexuais com a ex-namorada ou o ex-namorado, é impossível caminhar para a frente sem tratar o que ficou para trás. Aprenda uma coisa: o tempo não apaga o pecado. Pode ter sido ano passado, há três anos ou décadas atrás: se o pecado não for tratado como pecado, cair de novo é só uma questão de tempo e oportunidade. A pergunta natural que se segue é: e como tratar isso?

A maneira correta de tratar o pecado é praticando a segunda parte do versículo: "... mas quem os confessa...". Você precisa confessar o pecado oculto. Uma das melhores formas de fazer isso com segurança e sabedoria é procurando um conselheiro, preferencialmente seu líder. Se você não se sente seguro para isso, por temer uma exposição pública, procure um amigo de sua confiança. Mas é necessário que essa pessoa seja madura em Cristo. O que você vai fazer é abrir seu coração e trazer à luz o pecado oculto. Em seguida, vocês vão orar juntos. Se você é uma moça, procure alguém do sexo feminino; se é um rapaz, procure um homem.

Você pode se perguntar se existe real necessidade de fazer essa confissão; afinal, é algo humilhante e nos leva a sentir muita vergonha. Saiba que é exatamente assim que o Diabo age: ele tira a nossa vergonha na hora de cometer o erro, mas, depois que pecamos, nos impõe uma dose dobrada. Não confessar produz sequidão, afeta diretamente nossa vida espiritual e não nos permite prosperar — ou seja, não crescemos, ficamos estagnados. A confissão de pecado é uma doutrina bíblica, praticada desde os tempos do Novo Testamento (cf. 1Jo 1.9). Tenho percebido que a confissão e a intercessão mútuas é uma prática que ajuda muitas pessoas. É como diz o apóstolo Tiago: "Portanto, confessem os seus pecados uns aos outros e orem uns pelos outros para serem curados" (Tg 5.16).

Confessar, no entanto, não encerra a questão. Há mais a fazer. O versículo de Provérbios prossegue: "... e os abandona...". É necessário tomar uma decisão, a partir do momento da confissão: parar, abrir mão do pecado. "A vontade de Deus é que vocês sejam santificados: abstenham-se da imoralidade sexual" (1Ts 4.3).

É confrontador para qualquer pessoa decidir que só voltará a experimentar o sexo *depois* que se casar. Se você está namorando e tendo relações atualmente, isso exige parar *agora*. Não é fácil, mas é totalmente possível. Se você está sozinho, mas deseja encontrar alguém de Deus, faça um pacto de pureza e santidade com o Senhor, firmando a decisão de que, no próximo relacionamento, você se guardará e só terá intimidade sexual depois do casamento.

Para ambos os casos

Apesar de a imoralidade sexual deixar marcas que talvez carreguemos pelo resto da vida, em ambos os casos devemos confiar na promessa de que o pecado, quando abandonado, nos permite ser alcançados pela misericórdia do Senhor. Observe a última parte de Provérbios 28.13: "Quem esconde os seus pecados não prospera, mas quem os confessa e os abandona *encontra misericórdia*". Tenho aprendido que a misericórdia do Senhor precede o seu juízo. Apesar de qualquer dano que o pecado venha a causar, as misericórdias do Senhor estão sempre disponíveis para nos alcançar e, por causa delas, "não somos consumidos" (Lm 3.22).

Se você está fazendo novas escolhas para sua vida a partir deste momento, tenha certeza de que a misericórdia do Senhor o alcançará. Essa bênção se estenderá a seu futuro, seu casamento, seu cônjuge, seus filhos e às gerações vindouras.

Um novo tempo está começando. Como ele será depende de suas escolhas.

Para a gente pensar

1. Quem não esperou pode começar a esperar? De que modo?

_____
_____
_____

2. Qual é a diferença entre arrependimento e remorso? De que maneira compreender essa diferença impacta a sua vida e a das pessoas ao seu redor?

_____
_____
_____

3. De acordo com o que você leu neste capítulo, explique com suas palavras qual é a importância de ter relações sexuais somente após o casamento.

_____
_____
_____

4. Se você cometer um deslize na área sexual, antes ou depois da conversão, como deve tratar a questão?

_____
_____
_____

5. Em sua opinião, quais são as implicações práticas da misericórdia do Senhor?

_____
_____
_____

Capítulo 5
O que não é escolher esperar?

Observando o comportamento dos solteiros cristãos, eu suspeitava que as pessoas não sabiam o significado de "esperar no Senhor". Agora, liderando o *Eu Escolhi Esperar...* eu tenho certeza! Elas realmente não sabem! Os solteiros, em sua grande maioria, não conhecem o verdadeiro sentido de esperar no Senhor. É impressionante como as pessoas não têm paciência nenhuma, engatam romances prematuros e vão martelando o próprio coração, numa coleção de marcas e feridas que podem levar muito tempo para cicatrizar.

Percebo que "esperar no Senhor" virou uma espécie de jargão adotado pelos que estão na igreja, para definir o estado civil de quem não está namorando. Virou quase uma gíria cristã para identificar que estamos sozinhos, esperando aparecer alguém.

Antes de explicar o real significado do que é "esperar no Senhor", precisamos desconstruir conceitos errados que só distorcem o tema. Muitos acreditam que estão esperando *no* Senhor, mas, na verdade, estão esperando *do* Senhor alguém especial. Há uma diferença básica entre esses dois conceitos. Esperar *em* Deus nada tem a ver com aguardar para encontrar a alma gêmea, a cara-metade, o príncipe encantado, a mulher dos sonhos. As pessoas se iludem, por acreditar que escolher esperar é o segredo do sucesso, mas elas se equivocam na motivação pela qual estão esperando. Na verdade, estão esperando que o Senhor lhes arrume alguém. Para quem pensa desse modo, é necessária uma mudança de mentalidade. Muito do que o mundo nos oferece aparenta ser prazeroso, mas nada se compara às bênçãos que Deus nos tem reservado. Por isso é importante viver novas escolhas, agora que pertencemos ao Senhor.

Não escolha esperar porque você quer encontrar alguém; escolha conhecer a vontade de Deus. Não perca mais seu tempo com os prazeres instantâneos e enganosos que o mundo oferece. Chegou o tempo de viver coisas novas. Mas lembre-se: para receber o novo de Deus, será preciso abrir mão das escolhas velhas.

Entenda que esperar no Senhor não é um sentimento. Muitas pessoas, cansadas de sofrer emocionalmente, abraçam essa nova intenção. O problema é que, para alguns, a decisão de "esperar" é, na verdade, resultado da falta de opções. É o pensamento do tipo: "Já quebrei a cara tantas vezes que só me resta esperar". Há quem espera no Senhor porque, depois de tantas aventuras emocionais fracassadas, sente-se obrigado a fazer uma última tentativa. Sente que agora precisa se posicionar e tomar uma decisão de esperar em Deus. Sim, é verdade que muitos têm sentido o desejo de esperar no Senhor; o problema é que "esperar no Senhor" não pode ser um mero sentimento. A Bíblia nos alerta: "O coração é mais enganoso que qualquer outra coisa e sua doença é incurável. Quem é capaz de compreendê-lo?" (Jr 17.9). Se, no seu caso, esperar no Senhor é apenas um sentimento no coração, e não uma convicção na mente, possivelmente você não vai resistir por muito tempo. Por quê? Porque sentimento é pura emoção, é algo volúvel que vem e passa. Hoje você se sente forte para esperar no Senhor, mas, se sua decisão for baseada no que sente, amanhã, em meio à adversidade ou à tentação, mudará de ideia e desistirá de esperar. Os filhos de Deus precisam ser guiados pelo Espírito de Deus, e não por suas emoções.

Nem todos que seguem o *Eu Escolhi Esperar* de fato escolheram esperar. Conheço pessoas que já foram aos nossos encontros, choraram, foram tocadas, saíram vestindo uma camisa... mas não suportaram muito tempo a decisão de esperar. Por quê? Muitos não conseguem se segurar e caem em tentação simplesmente porque não estão convictos da escolha que fizeram.

Há uma diferença muito grande entre ter uma opinião a respeito de esperar e ter a convicção de que esperar é a melhor decisão. A maioria dos jovens cristãos tem a opinião formada de que o sexo antes do casamento é pecado, mas a maioria desses não está convicta, por isso mais da metade acaba cedendo à tentação e mantém relações sexuais no namoro. Os jovens, em geral, sabem o que é certo e errado, mas saber não é suficiente — saber que algo é errado parece não nos ajudar a ponto de nos levar a vencer as tentações. É preciso ter convicção da escolha que se está fazendo. Opinião é aquilo que você sustenta e convicção é aquilo que sustenta você.

Esperar em Deus é fruto de uma convicção gerada pelo Senhor em nosso coração. Essa escolha não pode ser uma camisa que você veste, uma pulseira que usa ou um perfil nas redes sociais; precisa ser o resultado de uma vida com Deus. Não é possível esperar apenas com boas intenções no coração: você escolheu esperar porque entendeu que isso é fruto de uma caminhada sob o senhorio de Deus que influenciará grandemente seu futuro. É preciso ter experiências com Deus, alimentar-se da sua Palavra, viver uma vida de oração e escolher andar em santidade. Esperar em Deus é uma experiência maravilhosa, mas exige paciência, renúncia e fé!

ESCOLHER ESPERAR NÃO É ESPERAR POR ALGUÉM

Muitas pessoas me enviam *e-mails* em que desabafam: "Eu cansei de esperar!". Elas se cansam porque estão esperando pelo propósito errado, porque acreditam que precisam esperar pelo amor de sua vida. Acreditam que, em um momento muito especial, aparecerá o par perfeito que lhes está reservado em algum lugar do planeta, para que vivam uma apaixonante história de amor.

Não é errado esperar por alguém, mas isso desgasta. Ninguém gosta de esperar por quem se atrasa; se marcamos um encontro e a pessoa não chega na hora combinada, ficamos aborrecidos. Eu mesmo detesto esperar por gente atrasada! Aliás, creio que ninguém gosta. Pontualidade não é uma virtude; atrasar, sim, é um defeito a ser corrigido. O ponto a ser compreendido por aqueles que esperam no Senhor é que não gostamos de esperar por ninguém durante muito tempo. E, como não estamos de fato esperando *no* Senhor, mas *do* Senhor, passamos a esperar por alguém. A intenção de esperar é boa, mas a motivação pela qual se espera é que está errada.

Quando entrei na adolescência, senti um desejo natural de namorar. Todos os meus amigos já haviam namorado ou, pelo menos, "ficado" com alguma garota. Eu queria muito agradar a Deus, então entendi que ficar era algo errado e não fazia parte dos planos de Deus para nenhum romance. "Ficar" é uma prática muito comum, e provavelmente mais da metade dos leitores deste livro já ficou ou será tentado a ficar com alguém. A vida de "pegação" aparenta ser prazerosa, mas é, na verdade, um atraso de vida.

Eu decidi que não ficaria com nenhuma menina, pois queria namorar com seriedade. Por isso, comecei a orar, pedindo a Deus que me arranjasse uma namorada. Passados dois anos, minhas orações ainda não haviam sido atendidas. Comecei, então, a perguntar ao Senhor por que não estava sendo ouvido e descobri que orava de maneira errada. Se você está pedindo a Deus alguém para namorar, mude sua oração a partir de hoje, pois Deus não arruma um namorado para ninguém. Ele é um Deus com propósitos, e o plano dele para você não é um namoro, mas o casamento. Quando me dei conta disso, comecei a orar por uma esposa. Assim, senti que deveria esperar mais um pouco.

Orei por dois anos mais e, novamente, me senti desesperado. Eu estava orando por uma esposa, esperava por uma esposa... mas nada acontecia. Isso me causou grande aflição e até certo cansaço. Não aguentava mais esperar. Foi quando descobri que, até ali, eu não havia esperado *em* Deus, mas tinha esperado *de* Deus uma pessoa. Decidi, então, mudar o foco. Quando fiz isso, esperar deixou de ser um fardo. Entenda que esperar *na* pessoa de Deus é uma atitude que oferece descanso para os anseios da alma. Esperar por uma pessoa traz cansaço. Esperar na pessoa de Deus traz repouso. Mude as motivações de seu coração e você descobrirá que a espera não é um fardo.

Esperar em Deus é preparar-se para o tempo de casado. Depois que entendi que estava esperando errado, parei de esperar por *uma* pessoa e passei a esperar *na* pessoa de Deus. Isso me levou a desenvolver todas as áreas da minha vida. Essa deve ser sua postura. Faça que todas as áreas caminhem juntas rumo ao centro da vontade do Senhor. Estar solteiro não é fácil, mas estar solteiro enquanto se direciona a vida apenas a um relacionamento amoroso é um desastre. É ainda pior se o único foco de sua vida de solteiro é ter ou procurar alguém e você vive de namoro em namoro. Desse modo, você estará vivendo sempre a agonia da espera.

Se, para você, esperar *no* Senhor tem sido difícil, peça ao Espírito Santo que visite o seu coração e o liberte disso. Seja livre e receba o descanso que vem de Deus! "Venham a mim, todos os que estão cansados e sobrecarregados, e eu lhes darei descanso. Tomem sobre vocês o meu jugo e aprendam de mim, pois sou manso e humilde de coração, e vocês encontrarão descanso para as suas almas. Pois o meu jugo é suave e o meu fardo é leve" (Mt 11.28-30).

ESCOLHER ESPERAR NÃO É FANTASIAR AS COISAS

Muitas pessoas interpretam a questão de esperar em Deus de forma equivocada e alimentam expectativas fantasiosas no coração. Esperar em Deus nada tem a ver com esperar sua alma gêmea. Existe uma ilusão bem comum, principalmente entre as mulheres: esperar demais de um rapaz. Quem espera demais de outros costuma ficar para trás. Todos deveriam aprender as regras básicas sobre encontrar a pessoa perfeita: ela não vacila, não pisa na bola e *não existe*.

O amor não precisa ser perfeito; basta que seja verdadeiro. Procure uma pessoa comprometida com Deus e fiel a ele, pois, certamente, ela será fiel em qualquer outro tipo de relacionamento. Você não encontrará uma pessoa perfeita nem no espelho do seu quarto. Não continue alimentando fantasias em seu coração. Alimentar expectativas erradas pode ser uma experiência extremamente frustrante e amarga. Lembre-se de que casamento não é loteria, pois o amor não é uma questão de sorte, mas de escolhas. Também não é a Disneylândia, pois príncipes encantados e princesas perfeitas não existem. Essas palavras podem parecer duras, mas farão muito bem ao seu coração.

Algumas pessoas estão sozinhas não porque faltam pretendentes, mas porque são exigentes demais na escolha de um cônjuge. Elas acreditam que um dia encontrarão a pessoa dos sonhos e que esse encontro será algo surreal. Isso é um erro. A pessoa perfeita não existe.

Uma jovem me perguntou certa vez: "Se estou me guardando e encontro alguém que não é mais virgem, para que esperar?". Essa é claramente a ideia de alguém que não entendeu nada sobre o que é esperar em Deus, o que é muito diferente de barganhar com ele.

Não se iluda acreditando em romances perfeitos. Se você deseja viver um romance à maneira de Deus, esqueça aquilo a que você assiste nos filmes e seriados da televisão. Casamento é uma bênção, mas não é tudo. Jesus é tudo de que você precisa. Viver os planos dele, obedecer à Palavra de Deus e fazer a vontade do Pai deve ser sua busca contínua, pois no Criador encontramos tudo aquilo de que precisamos: "O meu Deus suprirá todas as necessidades de vocês, de acordo com as suas gloriosas riquezas em Cristo Jesus" (Fp 4.19). Somente em Jesus você encontrará tudo aquilo que tem buscado em romances frustrados e nunca encontra.

ESCOLHER ESPERAR NÃO É FICAR PARADO

Quando Angela e eu começamos a nos relacionar, ela ainda estudava. Uma das coisas que eu gostava de fazer era esperá-la no ponto de ônibus quando voltava das aulas. Minha vontade de estar com ela era tão grande que aquele período de espera, sentado no ponto, chegava a ser angustiante. Muitos acreditam que "esperar no Senhor" é semelhante a estar parado no ponto de ônibus esperando pela pessoa amada. À medida que os ônibus param no ponto, você espia dentro de cada um, e isso gera mais expectativa dentro do seu coração. Se a pessoa que você espera não desce nas repetidas vezes, ônibus após ônibus, essa situação gera ansiedade e frustração.

Quando ouço alguns jovens afirmarem que estão, supostamente, esperando no Senhor, noto que vivem como se estivessem parados num ponto de ônibus, aguardando o grande amor da sua vida. Procuram essa pessoa a cada "ônibus" que o dia a dia traz, e isso torna-se um exercício angustiante. À medida que cada "ônibus" passa e as pessoas com as quais nos relacionamos atravessam nosso caminho, sem que a pessoa especial pela qual esperamos apareça, isso gera o sentimento de que esperar no Senhor é estar parado. Pior que isso: parece ser perda de tempo. A sensação é de que a pessoa está cada vez mais longe. Com isso, muitos pensamentos começam a cruzar nossa mente: "Será que já passou?"; "Será que não virá mais?"; "Será que perdeu o ponto?"; "O que será que está acontecendo?".

Se você encarar o esperar em Deus como a espera por alguém no ponto de ônibus, acabará perdendo o foco. Não permita que os argumentos de seu coração o convençam de que a decisão de esperar no Senhor é desperdiçar tempo, mas, se ficar parado esperando, é isso que será. O tempo passará, e você continuará no mesmo lugar.

Minha experiência mostra isso. Por muitas vezes, a futura esposa, pela qual eu esperava, nunca chegava. Cada grupo de moças que eu conhecia se tornava como um ônibus lotado, pois eu conhecia muitas meninas e pensava: "Será que ela está entre elas?". Toda moça que eu conhecia e achava interessante me levava a pensar: "Será que agora é ela?". À medida que o tempo passava, muitas vezes as emoções gritavam alto, na tentativa de me convencer de que esperar não valeria a pena e que eu estava perdendo tempo. Mas, no íntimo, era como se uma voz me dissesse: "Aguente firme. Vai valer a pena". Eu sempre confiava nessa voz e, por mais difícil que fosse a espera, acreditava firmemente que não estava perdendo tempo e que minha vida não estava parada. Se você tem esperado por alguém e percebeu que a sua espera se encaixa nessa condição, não fique triste. Alegre-se!

Não espere o grande amor da sua vida bater à porta; isso não vai acontecer. Esperar em Deus é outra coisa. Não é se isolar do contato com o sexo oposto, nem se afastar das pessoas que se aproximam no desejo de conhecê-lo melhor. Quem sabe se uma delas não é seu futuro cônjuge? Aprenda a desenvolver amizades saudáveis e não tenha pressa para começar um romance ao conhecer alguém.

Como já vimos, esperar em Deus é preparar-se para o tempo de casado, fazendo que todas as áreas da vida se dirijam rumo ao centro da vontade do Senhor. O período da espera não é algo estático; pelo contrário, esperar em Deus é dinâmico. Esperar no Senhor não pode ser um estágio, um peso ou um processo angustiante. Se você vem passando por isso, esteja certo de que há algo errado na sua vida. É tempo de reavaliar as motivações e os conceitos. Este é um tempo de semear, plantar, regar, cultivar e ter paciência, para, futuramente, colher os frutos de suas escolhas como solteiro.

Algumas pessoas me perguntam se existe alguma forma de abreviar esse tempo do Senhor em nossa vida. Eu diria que a melhor maneira é cuidar das coisas de Deus. A Bíblia tem uma instrução clara para aqueles que estão solteiros: "Gostaria de vê-los livres de preocupações. O homem que não é casado preocupa-se com as coisas do Senhor, em como agradar ao Senhor" (1Co 7.32). Este é o segredo: quando nos envolvemos nas coisas dele, ele cuida de nossas necessidades de solteiros. Enquanto você não experimentar esse cuidado de Deus, será sempre escravo de sua ansiedade.

Quero encorajá-lo a se envolver com o reino de Deus e a sua justiça. Apegue-se a esta promessa: "Busquem, pois, em primeiro lugar o Reino de Deus e a sua justiça, e todas essas coisas lhes serão acrescentadas" (Mt 6.33). Busque-o como prioridade, com todas as suas forças, e você viverá um novo tempo com Deus em sua vida. Enquanto não usufruir desse segredo, terá sempre a sensação de que está perdendo tempo e ficando para trás.

A partir de hoje, sua espera precisa ter uma motivação diferente. Não seja uma pessoa parada no tempo e no espaço. Se fizer essa mudança, um dia olhará para trás e verá como foi bom e de quantas experiências frustrantes se livrou. Poderá, ainda, testemunhar a outros, assim como hoje eu testemunho para você: aprender a esperar em Deus vale a pena.

ESCOLHER ESPERAR NÃO É UM DESTINO

No desejo bem-intencionado de desenvolver um relacionamento saudável e na busca de encontrar uma pessoa de Deus, alguns indivíduos acabam transformando o tempo de espera não num ponto de ônibus, mas no ponto final do coletivo.

Para muitos, esse desejo de acertar é tão intenso que, sem perceber, acabam transformando a espera no foco único da sua vida. Com isso, começam a achar que o destino de Deus para elas é ficar esperando por alguém. Mas esperar em Deus não é o seu destino, muito menos a sua identidade. Não permita que a sua vida de solteiro se resuma a esperar por alguém, como já tratamos anteriormente. Não deixe que o seu desejo de acertar o conduza a outro erro. Não faça da espera um alvo maior. A espera é sua condição atual, e não uma meta a ser alcançada.

Muitas vezes, por causa da carência e da vontade de acertar, sem que percebamos, a boa intenção acaba nos conduzindo sutilmente ao alvo errado. Se a espera não pode ser um ponto de ônibus, tampouco pode ser um alvo, um lugar onde queremos chegar. Precisamos desmontar os conceitos, sofismas e paradigmas que têm feito a espera se transformar num jugo para muitas pessoas.

ESPERAR NO SENHOR NÃO É ENTRAR EM DESESPERO

Desde que comecei a campanha *Eu Escolhi Esperar*, pude ver surgir um grande exército de milhares e milhares de jovens que fizeram a escolha que propomos. Todo exército é dividido por batalhões e pelotões e, nessa marcha daqueles que esperam, tenho encontrado um curioso pelotão: o dos desesperados. São jovens e adolescentes que dizem esperar, mas que, na verdade, estão desesperados para se relacionar.

Conhecendo de perto a realidade de grande parte deles, tenho percebido muitos que não "nasceram de novo" na vida sentimental. Sei que muitos nasceram de novo do espírito, pela fé, e foram transformados em diferentes tipos de comportamento. Os que bebiam não bebem mais, os que eram viciados não se viciam mais, os que se prostituíam não se prostituem mais e por aí vai. Contudo, na área dos sentimentos e das emoções, a maioria dos jovens continua debaixo da mesma influência, dos mesmos hábitos e da mesma cultura de quem não conhece Jesus. É por isso que, hoje, os jovens cristãos se relacionam e sofrem consequências semelhantes, com igual intensidade, daqueles que não conhecem Cristo.

O comportamento do solteiro cristão e a forma como a maioria conduz sua vida emocional são muito parecidos com o comportamento de quem está fora da igreja e ainda não teve uma experiência com Jesus. Percebo isso na onda de "pegação" desenfreada que se alastra por muitas igrejas pelo Brasil. Quando uma congregação não ensina abertamente sobre santidade e romances puros, quase sempre a juventude daquela igreja acaba desenvolvendo um comportamento idêntico ao das pessoas que não estão na igreja.

A falta de ensino sobre o tema destrói pessoas. Com medo de que seus jovens e adolescentes procurem outra igreja, muitos pastores decidem não ensinar sobre santidade. Acontece que a igreja que não se dispõe a tratá-los vai perdê-los de qualquer forma, mas para o mundo. As igrejas que não ensinam pureza para seus membros continuarão amontoando um exército de corações feridos. Estamos diante de uma grande necessidade de fazer novas escolhas.

Lembro-me de certa vez em que meu telefone tocou e, do outro lado da linha, estava um pastor de uma grande igreja do Rio de Janeiro. Ele disse que acompanhava a campanha pelo Facebook e reconhecia o impacto que ela estava produzindo na vida de muitos jovens. Pude perceber sua aflição em busca de ajuda e a necessidade de fazer algo para orientar os jovens da igreja local que pastoreava. Então ele me disse:

— Nelson, preciso que você venha ensinar sobre sexo para os jovens aqui na igreja. A coisa está séria!

Ao que retruquei:

— Tarde demais, pastor! Já não é mais possível ensinar os jovens sobre isso. Afinal, eles já estão fazendo. O trabalho que precisamos realizar é muito maior. É necessário "desensiná-los".

A verdade é que muitos aprendem sobre sexualidade de forma distorcida, de um jeito que fere os padrões morais de Deus.

Particularmente, acredito que passou da hora de enfrentarmos de frente nossa realidade. Trabalhando com o tema, tenho percebido que a igreja brasileira, em sua maioria, só começa a se preocupar quando já se perdeu o controle, quando parte da juventude já se perdeu. O problema é que, até a igreja se dar conta da necessidade de tratar do assunto, muitos já se feriram, outros se perderam e alguns até morreram na fé. Ainda podemos salvar nossos jovens. Deus está levantando uma nova geração, e o fato de você ter lido este livro até aqui é o ponto de partida para levarmos uma resposta a muitos que estão sofrendo.

―――――――― **Para a gente pensar** ――――――――

1. Responda com suas palavras: por que escolher esperar não se trata de esperar por alguém?

_____
_____
_____

2. Responda com suas palavras: por que escolher esperar não é fantasiar as coisas?

_____
_____
_____

3. Responda com suas palavras: por que escolher esperar não é ficar parado?
_____
_____
_____

4. Responda com suas palavras: por que escolher esperar não é um destino?
_____
_____
_____

5. Responda com suas palavras: por que escolher esperar não é entrar em desespero?
_____
_____
_____

Capítulo 6
O que é escolher esperar?

Ao longo de vinte anos de vida ministerial e, também, do tempo em que vivi a espera em Deus, acumulei vasta experiência sobre a questão de esperar o momento certo para o relacionamento sexual e a entrega emocional. Quando eu era solteiro, vivi tempos difíceis, mas, hoje, vejo como valeu a pena esperar no Senhor, pois ele "recompensa aqueles que o buscam" (Hb 11.6) .

A banda de música cristã Palavrantiga gravou uma música que se tornou o nome de seu segundo CD. Para mim, é um título que define, com muita propriedade e graça, o que significa esperar em Deus: *Esperar é caminhar*. Quando ouvi isso pela primeira vez, vibrei, pois percebi que mais alguém compartilhava do mesmo entendimento sobre a espera: esperar em Deus não é ficar parado perdendo tempo, não é omissão ou descaso. Na verdade, vou ainda além: esperar é mais que caminhar, pois é possível caminhar sem a pretensão de aonde se quer chegar. Moro numa região litorânea, e, todas as manhãs e no fim da tarde, as pessoas enchem o calçadão da orla para caminhar. Nesse caso, caminhar não visa a chegar a algum lugar especial. A intenção é outra: seja por motivos de saúde, seja por estética, elas caminham para emagrecer ou se exercitar. E existem também os andarilhos, pessoas que caminham sem destino. Fica claro que não basta caminhar; é preciso algo mais. E o que fará toda a diferença em sua vida é o destino aonde você quer chegar.

Esperar em Deus é uma jornada de experiências pessoais com ele. Quem caminha sem saber para onde vai está perdido. Aliás, quando não sabemos para onde vamos, qualquer vento que sopra serve para dar a direção. Não caminhe sem saber para onde está indo. Não espere sem saber por que e por o que você espera. Não ande sem antes compreender o rumo de sua caminhada. Entendo que esperar em Deus é uma longa caminhada. Uma jornada traz um sentido muito mais amplo do que imaginamos, pois requer planejamento, preparo e alvo e destino estabelecidos. É fundamental saber o ponto de largada, mas principalmente aonde se quer chegar.

Não espere em Deus somente porque amigos seus escolheram esperar ou porque essa é a onda do momento. Muito menos permita que sua decisão de esperar seja uma imposição religiosa ou um rótulo que os cristãos arrumaram para justificar seu estado civil no tempo em que estão solteiros. Permita que esse tempo de espera se transforme numa jornada, e uma jornada que você fará com Deus. Nessa jornada há sol, chuva, ventos e intempéries de todo tipo. Se não souber caminhar, logo virão a fome e o cansaço; é quando muitos desistem. Vejo, infelizmente, centenas de pessoas que desanimam e acabam ficando pelo caminho.

Nessa jornada com Deus, entenda que, por mais longo que seja o caminho, ele é "perfeito", "seguro" e "plano" (Sl 18.30; 27.11). Além disso, por mais estreito que esse caminho seja, Deus não porá você em risco; ele sempre estará presente, por onde quer que andar. Ao ouvir isso, algumas pessoas me perguntam: "Se não há perigo no caminho, por que tantos se perdem nele? Por que tantos desistem durante o trajeto?". Simples: porque o perigo não está na estrada, mas no coração daquele que caminha e nas escolhas feitas durante a jornada. Muitos se perdem porque a bússola que os guia é o próprio coração. Deus já nos ensinou sobre o coração, que é "mais enganoso que qualquer outra coisa" (Jr 17.9). A jornada é longa, mas muitos têm pressa. Aquele que olha para a frente, porém, sempre verá o horizonte. Esteja certo de que, se o Senhor for sua bússola, você nunca achará que está distante ou perdido.

Para aqueles que esperam no Senhor, outro aspecto muito importante nessa jornada é que, a cada passo à frente, algo sempre fica para trás. E lembre-se de que, quanto mais peso você levar, mais cansado ficará. Leve somente o fardo de Jesus, pois é suave e leve. Desapegue-se de todo peso do passado. Não leve em sua bagagem a culpa ou o remorso. Também deixe para trás tudo aquilo que o embaraça: "... livremo-nos de tudo o que nos atrapalha e do pecado que nos envolve, e corramos com perseverança a corrida que nos é proposta, tendo os olhos fitos em Jesus, autor e consumador da nossa fé" (Hb 12.1-2).

Para fazer essa jornada com Deus, é necessário romper com as escolhas erradas e divorciar-se de uma vida de pecado. A fim de trilhar uma nova etapa, será preciso que você tome novas decisões. Desejo que, a partir de agora, você não faça deste tempo uma simples fase da vida, mas uma grande oportunidade para novas experiências com Deus — que o prepararão para um futuro glorioso. E, mesmo com todas as dificuldades da caminhada, aquele que perseverar até o fim chegará seguro a seu destino.

ESCOLHER ESPERAR É UM PRESENTE

Existem três datas do ano que as crianças aguardam com ansiedade, porque sabem que nelas receberão presentes: aniversário, Dia das Crianças e Natal. Na infância, eu tinha um acordo com meus pais: se passasse de ano na escola sem ficar em recuperação, poderia escolher o que ganhar no Natal. Lembro que certa vez meu primo

Pedro, da mesma idade que eu, chegou à minha casa eufórico. Mostrou-me uma lista de bonecos da série *Comandos em Ação*, que ele havia pedido de final de ano. Eram dezenas de itens, quase toda a coleção.

Seus pais compraram o brinquedo, embalaram para presente e o puseram aos pés da árvore de Natal que havia na casa deles. Meu primo, muito curioso, não conseguia esconder a ansiedade. O presente dos pais estava ali, acessível, mas ter de esperar até o Natal era uma tortura enorme. Volta e meia meu primo se sentia tentado a mexer nas caixas. Ele pegava na mão, balançava, apertava... mas sem violar o papel de presente.

O problema é que, dia após dia, a ansiedade aumentava. Todas as vezes em que ficava sozinho, era tentado a abrir a caixa. Então, depois de alguns dias resistindo a seus desejos e curiosidade, meu primo tentou abrir uma das embalagens, com muito cuidado, e conseguiu ver um dos bonecos que ele havia pedido. Imediatamente sentiu-se culpado e pensou: "É melhor esperar pela hora certa".

Porém, tendo conseguido mexer no presente sem que ninguém notasse, dois dias depois a culpa foi embora, os desejos voltaram e logo ele começou a violar o papel de presente de todas as outras caixas. O problema é que ver os brinquedos sem poder brincar com eles já não era suficiente. Assim, meu primo não resistiu à tentação de ir um pouco mais além, abriu algumas das embalagens e acabou brincando com os bonecos. Sem ser descoberto, ele ficava tranquilo, uma vez que sua atitude não lhe causaria nenhum tipo de problema.

Até que, finalmente, chegou o Natal. Seu pai estava desejoso de presenteá-lo; eram brinquedos caros, e meu tio tinha conhecimento daquela ansiedade toda. Mas, quando os presentes finalmente foram entregues, a reação do meu primo já não era a mesma que teria sido se houvesse escolhido esperar. Meus tios não sabiam que ele já havia matado seu desejo e, pior, meu primo teve de fingir surpresa com os presentes.

O sexo é um presente de Deus para nosso casamento, algo que nosso Pai celestial preparou com muito carinho para a grande noite de núpcias. O problema é que, assim como meu primo, muitas pessoas não estão dispostas a esperar a hora certa para abrir o presente. Quando você experimenta algo no tempo errado, está roubando a alegria do tempo certo.

Esperar é um presente não somente para Deus, mas também para o futuro cônjuge. Mesmo que você não seja mais virgem, quando você honra o corpo do seu pretendente, está desfrutando desse presente para o casamento. É a oportunidade de receber uma dádiva de Deus. Por isso, precisamos ter paciência e saber esperar o tempo certo, para não estragarmos a surpresa que o Pai nos oferece. Quando um casal de namorados experimenta relações sexuais antes do casamento, está abrindo o presente antes da hora. E, quando chegar o grande dia, a noite de núpcias, terá de fazer como meu primo: fingir uma cara de surpresa.

ESCOLHER ESPERAR É TORNAR-SE A PESSOA IDEAL

Considero que a decisão mais importante que qualquer homem ou mulher pode tomar é a de entregar a vida a Jesus. A segunda é a escolha de seu cônjuge. Deus está interessadíssimo, sim, em sua vida sentimental e deseja orientá-lo na escolha da pessoa com quem você subirá ao altar.

Por que essa escolha é tão importante, mais que os estudos ou a profissão? Porque casamento é para sempre! O que Deus uniu, um papel não separa. O que Deus uniu, um juiz não separa. Pois está escrito: "Assim, eles já não são dois, mas sim uma só carne. Portanto, o que Deus uniu, ninguém separe" (Mt 19.6). Você já deve ter ouvido alguém dizer que pais e família não escolhemos, apenas recebemos. Isso é verdade, mas a pessoa com a qual vamos nos casar é uma decisão *nossa*. Casamento não é uma questão de sorte, mas de escolha. Mais importante que se casar é fazer a escolha certa. Agora, mais importante que se casar com a pessoa certa é *ser* a pessoa certa. Deus tem planos para todas as áreas de nossa vida, inclusive para a sentimental.

Vejo em toda parte jovens que desejam encontrar a pessoa certa. Querem encontrar alguém para amar e ser correspondidos, porque não desejam mais sofrer feridas e desilusões amorosas. Mas, na busca desse indivíduo especial, muitos se esquecem do essencial, que é tornar-se ideal para quem o espera. A melhor maneira para começar a fazer isso é tornando-se a pessoa que Deus espera que sejamos, aprendendo a fazer escolhas sábias e acertadas ao longo de sua jornada.

Cada escolha que fazemos nos aproxima mais de Deus ou tem o poder de nos afastar dele. Ele é o Pai de amor, e todo pai tem planos para seus filhos. Eu sou pai de duas meninas lindas: Ana Carolina e Milena. Hoje, elas são duas crianças, mas, como um pai que ama, desejo o melhor para elas. Por isso, já penso em vários assuntos relativos a seu futuro. Minha esposa e eu, aliás, já oramos pelo futuro marido delas. Mas, apesar de desejar-lhes o melhor, não podemos escolher por elas. Vejo que Deus, como Pai, está na mesma condição. Ele tem planos e um futuro para mim e para você.

Encontrar alguém especial, casar, ter filhos e construir uma família é um desejo comum e o plano de quase todas as pessoas que conheço. Cristã ou não, a maioria sempre busca por isso, porque, na verdade, é algo que faz parte de um anseio natural. E, no caso dos filhos de Deus, temos a expectativa de ver se cumprir em nossa vida as promessas divinas para o casamento. Porém, o cumprimento de toda promessa passa por uma prova chamada *tempo*.

Muitos querem as promessas do Senhor, mas se esquecem do Senhor das promessas. Nosso Deus cumpre o que promete, mas lembre-se sempre de que ele é um Deus de alianças. Se você deseja viver os planos divinos e está à espera do cumprimento de suas promessas, nunca se esqueça de que toda promessa tem um preço. Sonhar em encontrar a pessoa ideal somente não basta. É necessário estar disposto a viver aquilo que todo pai espera de um filho: obediência. E nem sempre é fácil viver uma vida de obediência a Deus.

Algo que me incomoda profundamente em algumas pessoas que escolhem esperar é que elas parecem tomar essa decisão como se fosse um trato com Deus: "Eu espero no Senhor, mas o Senhor tem de me abençoar". Esperar em Deus é o melhor para você, certamente, mas tenha sempre em mente que nem sempre o melhor de *Deus* para você é o melhor que *você* espera. Nem sempre o que *você* planeja é o que *Deus* vai fazer. Se você escolheu esperar simplesmente porque deseja o melhor de Deus, é importante perceber que isso é interesse, e não amor.

A decisão de escolher esperar não deve ser tomada motivada pelo fato de o Senhor ter uma pessoa especial para você, mas sim porque viver uma vida pura e santa agrada o coração do Pai. Há uma promessa tremenda para isso: "Deleite-se no Senhor, e ele atenderá aos desejos do seu coração" (Sl 37.4). Não troque fazer a vontade de Deus pelos prazeres momentâneos que o mundo oferece. O que o Todo-poderoso lhe reserva é incomparavelmente melhor que aquilo que qualquer outra coisa pode lhe proporcionar.

ESCOLHER ESPERAR É UM TEMPO DE TRATAMENTO

Quando ainda era solteiro, eu observava como meu pai tratava minha mãe, e dizia para mim mesmo: "Quando me casar, não quero tratar minha esposa assim!". Eu tentava aprender com os erros que meus pais cometiam para não repeti-los quando estivesse em situações semelhantes. Depois de algum tempo casado, aconteceu o que eu temia. Em uma de nossas conversas, logo nos primeiros meses de casamento, Angela começou a mostrar-me como eu me parecia com meu pai e, mesmo não querendo, sutilmente me comportava como ele. Mais surpreendente ainda foi quando ela mostrava-me que eu tentava fazer com ela o que meu pai fazia com minha mãe. Fiquei chocado!

Com a experiência que vivi, comecei a considerar a importância do tempo de solteiro na vida de todos que desejam se casar um dia. A espera precisa ser um período de tratamento e mudanças. Quando somos mais jovens, achamos que no casamento as coisas mudarão — e sempre para melhor. Teoricamente, isso seria o ideal. Mas, na prática, não é necessariamente assim. Na maioria das vezes, as pessoas, depois que se casam, mudam, sim, mas para pior.

Já ouvi diversas esposas expressarem surpresa e decepção com o cônjuge logo depois da cerimônia de casamento. Não é raro escutarmos de recém-casadas relatos sobre como aquele que antes era um príncipe parecer agora mais o cavalo do príncipe. Seria possível evitar muitas crises matrimoniais se as pessoas mudassem já no tempo de solteiras. O que fazemos ou deixamos de fazer antes do casamento refletirá diretamente naquilo que seremos como casados. Quando você se relaciona com alguém visando ao matrimônio e essa pessoa não muda em determinada área, não se engane com o argumento de que ela mudará depois de casada. Acredito, sem medo de errar, que o indivíduo que não tem vontade de mudar enquanto solteiro dificilmente mudará quando casar.

Nada do que escrevo aqui tem o intuito de desanimá-lo. Pelo contrário, quero encorajá-lo, a fim de que o tempo de solteiro seja em sua vida uma ferramenta nas mãos de Deus e funcione de modo eficaz, como um tratamento, preparando-o para o casamento segundo os planos divinos para você. De algo tenho certeza: sua espera hoje será um presente para seu futuro cônjuge amanhã. E mais: será um presente ainda maior para seus filhos. Com o tempo, você verá como valeu a pena esperar.

Muitos acham que o tempo de solteiro é uma fase de descompromisso e não entendem o valor e a importância desse período da vida. Aqueles que pensam assim fatalmente serão empurrados para relacionamentos precoces ou para fora da vontade de Deus. O resultado serão mais decepções amorosas. *Estar* solteiro é bem diferente de *ser* solteiro. O verbo *estar* revela estado, condição, um período definido de tempo, enquanto *ser* aponta para aquilo que você é, sua identidade e seu destino. Não sei por que as pessoas se desesperam tanto quando estão solteiras; talvez pensem que permanecerão solteiras para sempre. Mas o tempo de solteiro é apenas uma parte da vida, e não necessariamente o destino dela.

Aqueles que conseguem enxergar beleza em tudo o que vivem e sabem dar tempo ao tempo descobrirão a alegria e o valor do período em que estão solteiros. O jovem que vive esse tempo dentro da vontade de Deus e entende que ele é uma dádiva, e não um castigo, descobrirá mais realidades preciosas nesse período do que supostas perdas.

Quando iniciamos a mobilização do *Eu Escolhi Esperar* na internet, descobrimos que, apesar de tanta carência emocional, havia uma carência ainda maior de ensinamentos sobre o assunto. Contudo, também percebemos que havia muitos filhos de Deus vivendo realidades preciosas. Certa vez, alguém com perfil no Twitter chamado *Garota cristã* publicou algo muito interessante, uma postagem que fez muito sucesso entre seus seguidores e, principalmente, entre os que acompanham nosso trabalho. Era uma referência a uma expressão muito comum entre os solteiros, que diz: "A fila anda". Ela escreveu: "Nós não entramos em fila. Os filhos de Deus não entram em fila. O Pai tem uma sala de espera maravilhosa, onde cada um tem sua senha e seu tempo, e serão todos chamados, mas é necessário saber esperar".

Essa afirmação é fantástica, fruto da percepção de uma pessoa que descobriu o valor do tempo de estar solteiro. Em sua caminhada com Deus, ela descobriu que, apesar das circunstâncias e das dificuldades, nada se compara ao período em que esperamos pelo matrimônio. Quero encorajar você a buscar experiências com Deus, pois são elas que cooperam para continuarmos firmes na jornada.

ESCOLHER ESPERAR É UMA DECISÃO PESSOAL

Recebemos diariamente *e-mails* de pessoas que pedem ajuda e aconselhamento sobre vida sentimental. O que chama a atenção é que muitos desses pedidos não são para si mesmos, mas para aconselhar outras pessoas, seja um amigo, seja um parente, seja alguém da congregação da qual fazem parte.

É muito comum, também, escreverem pedindo ajuda para aconselhar outras pessoas que estão em relacionamentos errados, que se precipitam ou sofrem muito. O pedido principal é a respeito de como convencer tal pessoa a fazer a mesma escolha que ela, a de "esperar no Senhor".

Nem todos entendem que essa é uma decisão pessoal. Eu não consigo nem tento convencer ninguém a mudar de comportamento se essa pessoa não está disposta a mudar seus conceitos sobre o tema. A espera em Deus precisa resultar de uma experiência pessoal com ele. Dificilmente alguém que não nasceu de novo concordará com o conteúdo deste livro, por exemplo. E isso porque, para abraçar os princípios aqui apresentados, a pessoa precisa ter sido regenerada e abandonado suas antigas práticas.

A espera precisa ser uma decisão pessoal porque dificilmente alguém consegue manter sua escolha se não for algo que ele queira muito. Nos momentos em que somos tentados ou pensamos em desistir, o que pesa mesmo é nossa experiência pessoal com o Senhor. Isso é o que faz toda a diferença!

Em virtude da maneira banalizada pela qual muitos cristãos têm agido em seus relacionamentos, algumas igrejas adotaram ferramentas e estabeleceram critérios para os solteiros se relacionarem. Creio que isso é louvável e necessário. Na verdade, é emergencial. Porém, é possível observar que essa atitude gerou desdobramentos. Algumas pessoas aceitam a imposição da liderança, mas, no coração, não concordam com ela. Com o tempo, desistem do compromisso ou, o que é pior, praticam escondido o que é errado, para não sofrer castigo ou desaprovação.

Em relação à vida sentimental, na prática a imposição de fora não funciona. A decisão precisa vir de dentro. Você tem de querer, precisa impor os valores do evangelho à sua carne e à sua vontade. Ninguém pode tomar essa decisão por você. Eu gostaria, mas não posso. Seus pais gostariam muito, mas também não podem. Deus não pode escolher isso por você. A escolha é sua! É muito importante entender, também, que você não pode convencer outras pessoas a fazer a mesma escolha. Elas também precisam tomar essa decisão, mas de forma voluntária e individual.

Logo que comecei a campanha *Eu Escolhi Esperar*, reencontrei um jovem que conheci havia muito tempo, chamado Lincoln Borges. Quando eu era adolescente, ele era criança, pois temos dez anos de diferença. Ele me procurou porque estava acompanhando o perfil da campanha no Twitter desde o início, uns três meses antes. Sentia-se muito alegre, dizendo que queria comprar camisetas para usar, pois tinha abraçado a causa. Inspirado na campanha, compôs uma música.

Combinamos de nos encontrar para ouvir a canção, que ele intitulou "Eu escolhi esperar". A música é linda. Sem imaginar, ali nascia uma parceria. Sua música se tornou a canção oficial da campanha, e ele passou a me acompanhar em viagens pelo Brasil para testemunhar sobre sua escolha, a fim de encorajar outros jovens a também esperar. A letra diz assim:

*Parece que espero coisas que nunca acontecem
E logo em meu coração os medos aparecem
Será que isso existe ou não? E surge essa dúvida, então:
Se realmente vale a pena em Cristo esperar?*

*Preciso entender que há um tempo para se cumprir
E todas essas coisas hoje entrego para ti
A fé vai além da razão, prossigo com Jesus, então,
E ele é quem sabe o que é o melhor para mim*

*Eu escolhi esperar, escolhi esperar em Deus, em Deus
Eu escolhi esperar, escolhi esperar em Deus, em Deus*

*Preciso entender que há um tempo para se cumprir
E todas essas coisas que hoje entrego para ti
A fé vai além da razão, prossigo com Jesus, então,
E ele é quem sabe o que é o melhor para mim*

*Não me importo se as pessoas zombam da minha decisão
Ninguém nunca me obrigou a escolher essa opção
Eu escolhi por amor, não por agradar aos outros
Não me vendo para este mundo,
muito menos por tão pouco.*

Essa música transmite a essência do que é esperar em Deus e revela, ainda, que essa deve ser uma decisão pessoal, independentemente do que as pessoas pensem ou digam a seu respeito. É uma decisão que você precisa tomar em seu coração, e ninguém pode tomá-la por você.

―――――――― **Para a gente pensar** ――――――――

1. Responda com suas palavras: por que esperar em Deus é uma jornada de experiências pessoais com ele?
_____
_____
_____

2. Responda com suas palavras: por que escolher esperar é um presente?
_____
_____
_____

3. Responda com suas palavras: por que escolher esperar é tornar-se a pessoa ideal?
_____
_____
_____

4. Responda com suas palavras: por que escolher esperar é um tempo de tratamento?
_____
_____
_____

5. Responda com suas palavras: por que escolher esperar é uma decisão pessoal?

_____

_____

_____

Capítulo 7
Até quando devo esperar?

A pergunta acima não é de fácil solução, pois existem respostas diferentes para cada caso, idade e momento de vida. Ela sempre vem acompanhada de outras dúvidas, como: "Se eu esperar demais, posso perder alguém especial?"; "Estou esperando em Deus faz um bom tempo e está demorando demais; o que fazer?"; ou, ainda: "Tenho esperado em Deus e guardado meu coração, mas como saber quando o tempo da espera terminou?". Cada pessoa se encontra em uma fase diferente da vida, e diversos fatores precisam ser levados em consideração: maturidade, estudos, sonhos, família, situação financeira e até o estado emocional. A vida não é feita de respostas prontas, e essa pergunta é um desses casos.

Sobre o tempo de espera, precisamos responder sob dois aspectos distintos: sexual e emocional. Para esses dois casos, o tempo de espera possui respostas diferentes.

ESPERAR SEXUALMENTE

Certa vez, recebi um *e-mail*, com uma foto anexada, no qual uma jovem, indignada, escreveu: "Esses jovens que seguem o *Eu Escolhi Esperar* são todos hipócritas! Nunca acreditei nessa proposta de vocês. Veja com seus olhos na imagem em anexo. Esse rapaz na foto está desfilando aqui no *shopping* da cidade com a camisa de vocês e de mãos dadas com a namorada. Escolheu esperar? Ou namora ou está esperando!". Pacientemente, expliquei a ela que escolher esperar não é somente para os que estão sozinhos, esperando para conhecer alguém. Também é uma decisão que inclui os que estão se relacionando.

Depois de voltar pela quarta vez a Salvador, na Bahia, para ministrar os seminários, ao final da palestra veio ao meu encontro uma jovem, toda feliz, vestida com a camiseta da campanha, usando pulseirinhas e a aliança de prata com os dizeres *Eu Escolhi Esperar*, para dar seu testemunho. Ela disse:

— Já participei dos três seminários que você deu na cidade, já assisti a todos os seus vídeos, e tudo isso me ajudou muito. Minha vida, após o primeiro seminário, nunca mais foi a mesma. E, depois de três anos esperando em Deus, encontrei o Artur, e viemos até aqui para lhe agradecer e me despedir, porque minha bênção chegou e hoje não preciso mais esperar.

Abracei o casal, parabenizei-o, orei por ele e, ao me despedir, perguntei:

— Você esperou tanto e, agora que recebeu a bênção, vocês já estão dormindo juntos?

Com o rosto vermelho, ela arregalou os olhos e, envergonhada, respondeu:

— Misericórdia! Sexo só no casamento!

Então abri meus braços e, com um largo sorriso, disse:

— Bem-vindos à fase dois do *Eu Escolhi Esperar*! Aqui é igual a *video game*: vocês passaram de nível, mas ainda continuam no jogo.

Mesmo vivendo um romance, ainda assim é tempo de esperar. Portanto, *todos* os não casados devem escolher esperar para ter intimidade sexual somente no casamento: adolescentes, jovens, adultos, namorados, noivos, quem já foi casado (independentemente de já ter se relacionado sexualmente) e até indivíduos casados em cartório, mas não no religioso. Não importa. Deixe-me repetir: intimidade sexual, só no casamento! A Bíblia nos alerta quanto à santidade do corpo:

> Cada um saiba controlar o seu próprio corpo de maneira santa e honrosa, não dominado pela paixão de desejos desenfreados, como os pagãos que desconhecem a Deus. Neste assunto, ninguém prejudique seu irmão nem dele se aproveite. O Senhor castigará todas essas práticas, como já lhes dissemos e asseguramos. Porque Deus não nos chamou para a impureza, mas para a santidade. Portanto, aquele que rejeita estas

coisas não está rejeitando o homem, mas a Deus, que lhes dá o seu Espírito Santo.

1 Tessalonicenses 4.4-8

Para compreender essa questão, precisamos entender o que é intimidade sexual. Antes de celebrar cerimônias de casamento, sempre realizo um curso pré-nupcial com os noivos. Sento com eles e compartilho valores e conselhos que os ajudarão mais tarde. Uma parte do curso sempre foi desconfortável para os participantes: quando tratamos sobre a intimidade física no namoro. Isso é extremamente relevante. Tudo o que você faz com seu corpo refletirá, de alguma forma, em seu casamento.

Um casal pode subir ao altar virgem, mas não puro. Conheço pessoas que se casaram virgens, porém caíram no pecado da imoralidade e, mesmo virgens, desfrutaram da intimidade sexual antes do casamento. Durante o namoro, acontece de tudo em termos de carícias, menos a conjunção carnal. Ou seja, mãos por todo o corpo e, em muitos casos, a nudez. Os dois dormem juntos, tomam banho juntos, trocam de roupa na frente do outro e, assim, desenvolvem uma intimidade física inadequada aos valores de Deus. Os noivos, com isso, ficam excitados e ultrapassam os limites, mesmo não chegando à última instância da relação sexual — a penetração. Na verdade, eles não sabem, mas já iniciaram uma relação sexual por meio da intimidade corporal. O casal é virgem em termos sociais, mas não é mais puro aos olhos de Deus.

Por outro lado, tenho acompanhado incontáveis histórias de casais que não são mais virgens, porém deixam para usufruir da intimidade física somente depois de casados. A grande maioria já teve experiências sexuais e perdeu a virgindade em algum momento da vida, quando ainda não conhecia Jesus. Outros até conheciam Cristo, mas não resistiram às tentações da mocidade. Felizmente, depois de uma experiência pessoal com o Senhor, escolheram esperar e passaram a guardar-se por completo, desenvolvendo um relacionamento dentro da vontade divina. Apesar de não serem mais virgens, estão se casando puros.

Como dá para perceber, uma coisa é casar virgem, e outra é casar puro. Deus não quer que você guarde somente seus órgãos sexuais. Ele não quer santidade pela metade, mas completa. Isso inclui olhos, lábios, mãos, mente e tudo mais. Escolher esperar é muito mais que se casar virgem; é buscar desenvolver uma vida de pureza e santidade.

Viva um "triângulo amoroso santo": você, Deus e a pessoa amada. E desenvolva um namoro e um noivado comprometidos com a santidade, respeitando o seu corpo e o do outro de forma santa e honrosa, sem se entregar aos desejos da carne; pelo contrário, buscando cumprir a vontade divina. Tudo aquilo que os excita deve ser evitado, e assim vocês não se colocarão em situações de tentação. Devemos nos guardar por inteiro, para usufruir de intimidade sexual e dos prazeres que ela oferece no contexto correto: o casamento.

ESPERAR EMOCIONALMENTE

O verdadeiro amor não consiste apenas em esperar para ter relações sexuais e intimidade física somente no casamento. É preciso saber esperar também pelo tempo certo para viver um romance. Tomar decisões apressadas na tentativa de acelerar as coisas por um ou dois anos pode atrasar a vida por muitos outros. É por isso que existem pessoas frustradíssimas em sua vida amorosa. Fizeram escolhas precipitadas, se entregaram a outra pessoa fora do tempo e se sentem "atrasadas" em relação ao casamento.

É importante deixar claro que ninguém deve se sentir acusado por ter atração por alguém ou porque brotou um sentimento por outra pessoa. Não há nada de errado nisso. Ressalto esse fato porque percebo que alguns tratam tal sentimento quase como um pecado. Sentir não é o problema; as pessoas erram, isto sim, quando não conseguem distinguir o tempo certo ou quando iniciam um romance de maneira precipitada, dando lugar a impulsos e desejos e não considerando as etapas que devem ser observadas.

Viver um romance na hora certa é uma bênção de Deus; mas, se nos precipitarmos na escolha, o que nos espera são feridas e decepções. Para fazer uma escolha sábia na vida amorosa, é necessário aliarmos três elementos importantes: o tempo certo, a pessoa ideal e a forma correta de conduzirmos o romance. Muitas pessoas sofrem na vida amorosa simplesmente porque iniciam um relacionamento no tempo errado. Por outro lado, há quem esteja no tempo certo, mas se precipite na hora de fazer a escolha, envolvendo-se, por isso, com a pessoa errada. Há ainda aqueles que estão no tempo certo e encontram a pessoa ideal, mas começam a tomar atitudes erradas. Em todos esses casos, quando princípios são quebrados, todo o processo é posto em risco. As chances de vivermos frustrações amorosas são, assim, potencializadas.

É praticamente impossível que tomar certas atitudes no tempo errado leve a algo correto. Escolher esperar é aprender a não ter pressa; não adianta querer correr com as coisas. Lembre-se de que a pressa é inimiga do coração. Uma das grandes desvantagens da pressa é, ironicamente, o tempo que ela nos faz perder. Deus é perfeito. Ele pode até parecer demorar, mas nunca se atrasa. A ansiedade não tira a tristeza do amanhã, mas rouba as forças do dia de hoje. Ela não resolve o problema; só o aumenta.

A impaciência e a ansiedade, em geral, estão associadas e nos tiram do lugar de onde jamais deveríamos ter saído. Tenho aprendido que a ansiedade pode roubar dias de vida, nunca acrescentar. Nenhuma espera é longa e nenhum caminho é distante quando sabemos com quem nos encontraremos.

Todos querem viver o amor, mas poucos estão preparados para experimentá-lo. Você já parou para pensar qual é a definição de *amor* para Deus? O mundo nos leva aos filmes de Hollywood e às telenovelas, com paixões intensas, beijos calorosos, quase sempre de forma desenfreada e descontrolada, regadas a muita ilusão e fantasia. Para o mundo, isso é amor. A ficção alimenta a fantasia do romance, mas o casamento não é um filme de uma ou duas horas de entretenimento, e sim um compromisso que precisa durar a vida inteira. Um cristão só deve se envolver com outra pessoa se ambos estiverem dispostos a viver um compromisso cujo propósito é se conhecerem melhor, visando ao casamento. Qualquer pessoa que deseja se relacionar deve se fazer as seguintes perguntas:

- Qual a verdadeira razão para me envolver romanticamente com outra pessoa?
- O que estou procurando nessa pessoa?
- Estou gostando de alguém porque tenho me sentido carente?
- Estou apenas buscando uma companhia porque me sinto sozinho nos fins de semana?

- Será que estou buscando ser valorizado por alguém?
- Estou iniciando um romance porque desejo conhecer essa pessoa melhor com o objetivo de me casar com ela?

Os romances, em sua maioria, não têm futuro, simplesmente porque começam sem um propósito. Ninguém deve buscar um romance sem que esteja maduro para se casar. É nesse ponto que devemos aprender a esperar. Assim, quando a hora chegar, viveremos tudo aquilo que Deus tem preparado para nossa vida e nosso futuro.

Muitos começam o namoro sem nenhuma condição de assumir um compromisso. É como desejar comprar um carro sem ter dinheiro. De que adianta ir à concessionária, combinar com o vendedor, enviar propostas de compras... se você não tem dinheiro para pagar? É o que costuma acontecer: as pessoas querem namorar sem ter condições mínimas para se casar.

A seguir, apresentarei alguns conselhos práticos aos leitores.

Se você está na adolescência

A adolescência é o período de transição, quando saímos da infância e nos desenvolvemos para atingir a fase adulta. Essa fase abrange dos 12 aos 17 anos. "Adolescer" é um verbo originado do latim e significa *crescer, desenvolver, começar a amadurecer*. Diversas mudanças acontecem no adolescente, que atingem não só o corpo, mas também as emoções e o papel social, o que afeta diretamente suas escolhas.

Nessa fase, o indivíduo não sabe como lidar com as transformações bruscas de comportamento. É o período mais conturbado e confuso na vida de um ser humano, porque é quando ocorre o processo de amadurecimento. E, se essa etapa for queimada, algumas pessoas não amadurecerão nunca. Conheço gente de 30 anos que se comporta como adolescente, simplesmente porque não alcançou a maturidade.

Essa é uma das razões pelas quais a adolescência não é o tempo certo para namorar. Afinal, o nome já revela: é a fase de amadurecimento. O sábio rei Salomão já nos alertou que "há um tempo certo para cada propósito debaixo do céu" (Ec 3.1). Se você é adolescente, sei que essa parte pode ser frustrante, mas é preciso escolher esperar o tempo certo para namorar — e a adolescência não é esse momento. Lembre-se também da recomendação do livro de Cântico dos Cânticos: "... não despertem nem provoquem o amor enquanto ele não o quiser" (Ct 2.7). Romance na adolescência é despertar o amor fora do tempo, quando não estamos maduros o suficiente para fazer escolhas certas.

Se prestarmos atenção, perceberemos que a maioria das pessoas não se casa com a primeira paixão da adolescência. Os romances terminam antes, principalmente porque são prematuros. Mesmo que você se apaixone por alguém, é importante saber esperar o tempo ideal para desenvolver o romance.

Se você está na juventude e sozinho

Para os maiores de 18 anos, o importante agora é não ter pressa. Aprenda a viver cada momento, sem queimar etapas. Enquanto você não encontra o grande amor de sua vida, aproveite para amar aqueles que já fazem parte dela.

Em primeiro lugar, priorize a vida espiritual, isto é, busque o reino de Deus e a sua justiça, e assim todas as outras coisas "serão acrescentadas" (Mt 6.33), Entre as "outras coisas", podemos incluir a pessoa especial. Deus quer presenteá-lo nessa área de sua vida, mas nossas escolhas muitas vezes atrapalham o agir dele. Aproveite seu tempo e envolva-se com as coisas do alto. Desenvolva todas as outras áreas de sua vida: família, amizades, lazer e vocação ministerial. Se estiver estudando, dedique-se com aplicação. Se estiver trabalhando, aprimore-se e busque o crescimento profissional. A juventude é o tempo ideal para isso.

Cada vez que pensar em se relacionar, lembre-se de que essa não é uma decisão que afetará somente a sua vida, mas também a da outra pessoa. Tenha em mente as pessoas que poderão ser afetadas por uma relação fora da direção de Deus. Leve em conta seu relacionamento com o Senhor, a vida espiritual da outra pessoa, as famílias, os amigos, os estudos e a profissão.

Quando se sentir atraído por alguém, espere, observe e ore. Não tenha pressa em iniciar um romance de imediato, sem antes se conhecerem melhor. Quanto mais tempo tiver para conhecer a pessoa como amigos e buscar orientação de Deus, melhor para ambos. Não estou falando para ficar de braços cruzados, mas o encorajo a não ter pressa. Como Paulo aconselhou ao jovem Timóteo: "Fuja dos desejos malignos da juventude" (2Tm 2.22).

Esteja preparado para o amor quando ele encontrar você. Apaixone-se somente quando estiver pronto, e não quando estiver se sentindo carente. Conheço muitas pessoas que, com medo de ficarem sozinhas, põem qualquer coisa dentro de sua vida e, ainda assim, a solidão persiste. Estar sozinho por um tempo não significa que você não sabe nada sobre o amor, mas, isto sim, que não está à procura de qualquer um.

Cuide bem de seu coração e lembre-se de que ele não é um panfleto de rua para que você o entregue nas mãos do primeiro que aparecer à sua frente. Não deixe a porta do coração aberta a quem só aparece para fazer uma visita e vai embora. Não confunda cautela com passividade: esperar é uma jornada com Deus, e com o tempo tudo chega para quem sabe esperar.

Tome cuidado para não se iludir com falsas promessas. Mesmo que seja difícil, não se empolgue inicialmente com qualquer pretendente que esteja conhecendo. Tudo no começo parece lindo e romântico, mas somente com o tempo as "furadas" vão ficar claras. Deixo meu conselho principalmente para as moças: vigiem, para não criar expectativas erradas ou fantasiar demais sobre um rapaz e depois sofrer outra decepção.

Outro conselho, que poucos ouvem: não desenvolva sua vida emocional sem acompanhamento. Se as pessoas que o aconselham não são cristãs, muito cuidado, pois corre o grande perigo de tomar decisões fora da vontade de Deus. Submeta sua vida sentimental a seus líderes e, principalmente, a seus pais. Se eles não são cristãos, escolha uma pessoa madura em Cristo para compartilhar com ela sua vida, com todos os dilemas e as dúvidas que vêm ao seu coração. Também preste contas do que está fazendo. Essa pessoa deve aconselhá-lo a dar passos certos quando aparecer alguém. Não se envolva com ninguém sem antes submeter o que se passa em seu coração a uma pessoa de sua confiança. Assim, você estará protegido de ser enganado.

Se você está na juventude e encontrou alguém especial

Como falei anteriormente, escolher esperar é como um *video game:* cada passo à frente o conduzirá mais perto do próximo nível. Na primeira fase, aprendemos a esperar; na segunda, precisamos saber agir. É importante que não se tenha pressa, mas, também, que não se desperdice tempo; isto é, não podemos ser ansiosos e muito menos negligentes. É preciso saber a hora de esperar e discernir o tempo certo para agir.

Se você está conhecendo alguém agora, o que devem fazer é conversar bastante, orar juntos, buscar aconselhamento com seus pais e deixar seus líderes espirituais cientes do que está acontecendo. Você deve avaliar o caráter, a personalidade, os propósitos de vida, os pensamentos do outro sobre o casamento e, acima de tudo, o relacionamento dessa pessoa com Deus. Não comece nenhum romance até que ambos tenham a convicção de que desejam assumir um relacionamento sério.

"Ficar" com a pessoa nesse processo? Esqueça! Seria a maior burrice para quem deseja fazer a coisa certa. Uma das piores coisas que ocorrem quando jogamos *video game* é cometermos um erro no final de uma fase e precisarmos começar tudo de novo. Não adianta encontrar a pessoa certa, no tempo certo, e começar a tomar atitudes erradas.

Envolver-se com uma pessoa primeiro, para só depois saber se é de Deus, é uma decisão que o impedirá de conhecer a verdade sobre o outro. Isso pode distorcer sua visão em relação ao pretendente. Quando conhecer alguém que desperte sua atenção, faça duas perguntas sinceras a si mesmo: "Eu me casaria com essa pessoa?" e "Estou pronto para assumir um compromisso de casamento?". Se casar-se não faz parte dos planos pelos próximos anos de sua vida, então você não está no tempo de iniciar um romance.

Ao encontrar alguém especial, busque averiguar se há interesse mútuo e procure conhecer melhor a pessoa. Períodos de oração juntos, a bênção dos pais, o acompanhamento dos líderes e a convicção interior de que o outro é um pretendente em potencial para se casar um dia — esses são os sinais ideais para dar novos passos rumo ao compromisso. É a hora de agir!

A iniciativa deve partir do homem; ele procura e a mulher é encontrada. A moça não deve se precipitar, mas ter paciência até que o rapaz a aborde. Depois de assumirem o romance, firmem o compromisso de um relacionamento sério. A partir de então, é natural que a intimidade entre vocês aumente. Então é importante tomar cuidados que protejam o casal de cair em tentação. Desenvolvam um relacionamento saudável e em santidade.

Esse é o tempo de se conhecerem. Portanto, conversem bastante, tornem-se amigos e confidentes, compartilhem sonhos, dialoguem sobre o passado e o futuro. Desenvolvam o romantismo, principalmente os rapazes: comprem presentes, flores e bombons e façam declarações de amor constantemente. Mulheres adoram ser cortejadas. Passem tempo juntos com a família um do outro e tirem um tempo a sós também — mas, sempre, em lugares públicos. Evitem a mentalidade do namoro do mundo, que leva o casal a aproveitar o tempo a sós para se acariciarem, pois isso sempre levará a um caminho sem volta.

Se os pais não aprovam o relacionamento, é tempo de escolher esperar novamente. Não é sábio iniciar um romance sem aprovação da família, mesmo que eles estejam aparentemente equivocados. Confie no Senhor, honre seus pais e não se apresse. Se a relação verdadeiramente está no coração de Deus, com o tempo a bênção virá. Negue-se a entrar num relacionamento sem que haja, no mínimo, a aprovação de seus conselheiros ou discipuladores.

Esse tempo de conquista deve durar apenas o necessário para o casal alcançar a convicção do casamento. Muitos vacilam nessa parte e desenvolvem o namoro por um longo período. Chega uma hora em que não se pode esperar demais; não há mais testes nem informações a descobrir. É a hora do "Quer se casar comigo?".

Se o tempo está passando, se já se foram mais de um ou dois anos de relacionamento, e vocês não estão crescendo, o namoro não anda saudável e não há convicção suficiente para o casamento, então é hora de escolher esperar novamente, para ter um tempo de reflexão e, até mesmo, interromper o romance, se for preciso. Mas, se o casal tem convicção, está sob a orientação dos líderes e conta com a bênção dos pais, está na hora de assumir o noivado. É hora de começar a planejar o casamento.

Vigiem para não cair em tentação: o compromisso de noivado não é autorização para ir além. Não ajam como se seus corpos já pertencessem um ao outro. Continuem atentos para não avançar o sinal no que se refere à intimidade sexual. Não queimem etapas; guardem os impulsos e desejos para depois do casamento. Com certeza vocês desfrutarão de uma explosão de prazeres e experimentarão como valeu a pena escolher esperar.

Se você acabou de sair de um namoro ou noivado

É tempo de escolher esperar! Por enquanto não está na hora de pensar em novos romances. Nesse momento, a maior tolice que se pode cometer é iniciar um romance logo depois de outro. Não desenvolva nenhum relacionamento até que tenha completa certeza de que as pendências do relacionamento anterior estejam resolvidas. Para todo jovem ou adulto que me procura para aconselhamento após ter terminado um romance, meu conselho é: não pense em namoro pelos próximos meses. Dê tempo a si mesmo, ainda que apareça alguém muito especial. Seja cauteloso e não se apresse em emendar romances sucessivos. Caso o faça, você potencializa a chance de envolver-se em outro relacionamento frustrado. A pressa para encontrar alguém é, na prática, a principal responsável por escolhas equivocadas.

Dificilmente as pessoas conseguem desenvolver um romance saudável quando acabaram de sair de outro.

Todo relacionamento deixa marcas e, quase sempre, o término de um namoro mexe muito com as emoções e os sentimentos. Esses, por sua vez, acabam de algum modo influenciando nossa maneira de ver a realidade, principalmente em se tratando da escolha do futuro cônjuge.

Em paralelo a isso, dificilmente você viverá uma experiência nova se insistir em fazer escolhas velhas. Não inicie um romance tomando decisões precipitadas. Torna-se muito difícil e quase sempre doloroso fazer que algo iniciado de forma equivocada acabe de maneira correta. Outro conselho muito útil é buscarmos a ajuda dos pais ou dos líderes para aconselhamento. Isso o ajudará a não se precipitar.

Se você saiu de uma separação ou um divórcio

Por se tratar de uma separação ou um divórcio, sua condição não se encaixa em nenhum dos modelos acima, nem mesmo no anterior, que se refere à dissolução de relacionamentos entre pessoas solteiras. A forma como o mundo encara o divórcio é bem diferente de como Deus o vê. O rompimento de uma aliança matrimonial nunca será semelhante ao de um casal de solteiros. As consequências são completamente diferentes, e isso ficará claro com o passar do tempo.

A questão de separação ou divórcio e novo casamento é complexa e delicada. Qualquer conselho mal orientado vai piorar ainda mais sua condição. Há uma enorme divergência de entendimento sobre o tema. Algumas igrejas só reconhecem o segundo casamento em caso de viuvez. Há outras que só aceitam em casos de adultério ou abandono do outro cônjuge. E existem as que aceitam o segundo casamento (e até o terceiro), independentemente da condição do casamento anterior.

Meu primeiro conselho, a despeito da condição em que a separação tenha ocorrido, é que você procure imediatamente conselheiros espirituais e, principalmente, pastores que trabalham com famílias e casamentos. Segundo, por mais difícil que pareça, escolher esperar é a decisão mais sábia que uma pessoa pode tomar em caso de separação ou divórcio. Dar qualquer passo diferente disso pode piorar as coisas. Todo casamento interrompido é uma tragédia, com consequências para toda a vida, e não esperar para fazer a coisa certa só redundará em mais frustrações. Ainda que você seja a parte não culpada da separação, esperar é uma decisão que sempre estará a seu favor.

――――――― **Para a gente pensar** ―――――――

1. Em seu caso específico, até quando você deve esperar sexualmente?

_____

_____

_____

2. Em seu caso específico, até quando você deve esperar emocionalmente?

_____
_____
_____

3. Vimos que um romance só deve iniciar quando o casal estiver maduro para o casamento. Em sua opinião, o que significa estar maduro?

_____
_____
_____

4. Após a leitura dos conselhos práticos para os cinco casos específicos acerca de situações em que as pessoas podem se encontrar, que conclusões você tirou para o atual momento de sua vida?

_____
_____
_____

5. Em seu entendimento, por que escolher esperar é a decisão mais sábia que uma pessoa pode tomar em caso de separação ou divórcio?

_____
_____
_____

Conclusão

Vale a pena aguardar por algo que se terá por toda a vida. Como o casamento é uma decisão para sempre, saber escolher a pessoa ideal não pode ser uma decisão apressada. Há aquilo que eu quero e aos meus olhos julgo ser bom, mas há também aquilo que Deus tem para mim. Estou convicto de que aquilo que o Senhor tem reservado para meu futuro será sempre o melhor. Ainda que momentaneamente não pareça fácil, confie no Senhor e, com o tempo, você descobrirá que não vale a pena deixar de lado o melhor de Deus em função de prazeres efêmeros. Não troque o que mais quer na vida por aquilo que mais deseja por um momento. Por mais que pareça demorar, tudo chega no tempo certo, para quem sabe esperar. Há uma frase popular que resume bem essa ideia: "Deus não demora; Deus capricha!". Creia nisso e descanse.

Nos momentos mais difíceis, quando nos sentimos tentados a desistir, a melhor maneira de esperar o socorro do Senhor não é deixar o tempo passar, mas dobrar os joelhos e apresentar nossa vida e nossos sentimentos a Deus. Enquanto você espera o tempo certo para o cumprimento de todo propósito do Pai, aproveite para crescer na sua comunhão com ele.

Talvez você pense que está demorando mais do que deveria. Lembre-se de que o nosso Deus é Senhor do tempo. Ele nunca se atrasa, e com ele tudo acontece na hora certa. Para vencermos, devemos descansar no Pai. Esperar não é desperdiçar tempo; é ter a certeza de que há um momento certo para tudo. Esperar quando se tem um propósito não é perda; é ganho. Eu escolhi esperar não para ter um final feliz, mas para que toda a minha história fosse feliz.

Esperar em Deus é confiar sem reservas. Se seu coração lhe diz o que parece ser o melhor para você agora, o Senhor tem planejado o que vai ser o melhor para você por toda a vida! Esperar em Deus não é uma ilusão. Ilusão é achar que você pode tomar decisões sem ele. Muitas vezes, vencer é saber esperar. No processo da espera, uma vitória só não basta, tampouco uma escolha certa: precisamos ficar atentos todos os dias. Aguardar exige disciplina, convicção e muita vigilância.

Cresça no seu relacionamento diário com Jesus; reserve tempo para ele. Se você não parar para ouvi-lo em pequenos aspectos de sua vida, como pode querer dar-lhe ouvidos nas decisões importantes da vida, como a escolha de seu cônjuge? Escolher esperar não é só um ato de amor; é também um passo de fé. Se o passo que você der não desafiar sua razão, não será um passo de fé. Não acredite na mentira de que, por esperar pelo momento certo, você está perdendo tempo. Dentro de alguns anos, você verá quanto tempo ganhou!

Em sua jornada com Deus, não se frustre se, em alguma etapa, a resposta de Deus foi *não*. Isso revela, apenas, que ele tem algo melhor a seu respeito no futuro. Um *não* na hora certa é muito melhor que um *sim* na hora errada. Quando você finalmente encontrar quem espera, vai perceber quanto valeu a pena ter esperado por ela. Não se esqueça: se você espera o melhor de Deus, então, por favor, seja o melhor de Deus para a vida de quem também o espera. Escolha seu futuro cônjuge devagar e bem, pois ele será o único parente que você poderá escolher ao longo de toda a vida. Não corra; o período de espera é o tempo de amadurecimento.

Você é livre para fazer o que quiser, mas nunca estará livre das consequências daquilo que faz. A vida realmente lhe permite tomar as atitudes que deseja, quando desejar, mas as consequências não lhe proporcionarão esse mesmo privilégio.

Enquanto você espera e seu grande amor não chega, não perca tempo: aproveite para amar aqueles que já fazem parte da sua vida. Não permita que os sentimentos alterem os propósitos, nem que os impulsos governem as escolhas. Se for para Deus, por Deus e com Deus, tudo vale a pena, inclusive a espera.

Se você escolheu seguir em frente, não adianta olhar para trás. Todas escolhas têm consequências e, ao tomá-las, você afirma que está disposto a pagar o preço e viver com elas. Se desistir não for a sua *escolha*, o fracasso não será o seu *destino*. E lembre-se das palavras do sábio Salomão: "Alegre-se, jovem, na sua mocidade! Seja feliz o seu coração nos dias da sua juventude! Siga por onde seu coração mandar, até onde a sua vista alcançar; mas saiba que por todas essas coisas Deus o trará a julgamento" (Ec 11.9).

Tome novas decisões. Faça novas escolhas, em Deus. Recomece sua vida sentimental e sexual incluindo o Senhor em cada etapa e decisão. Obedeça aos princípios da Bíblia. Viva uma aliança de santidade e um pacto de pureza. A partir de hoje, decida firmemente em seu coração fazer escolhas que agradarão o coração de Deus. Ame o Senhor acima de todas as coisas, e nada lhe faltará.

Sobre o autor _____

Nelson Junior é idealizador da campanha *Eu Escolhi Esperar*. Atualmente é presidente do Instituto Eu Escolhi Esperar. Formado em teologia pelo Instituto Bíblico das Assembleias de Deus em Vitória (ES), lidera jovens e adolescentes desde 1992 e foi ordenado ao ministério pastoral em 1998. É casado com Angela Cristina e pai de Ana Carolina e Milena.

Anotações

Anotações

Anotações

Anotações

Anotações

Anotações

Anotações

Anotações

Compartilhe suas impressões de leitura escrevendo para:
opiniao-do-leitor@mundocristao.com.br
Acesse nosso *site*: www.mundocristao.com.br

Equipe MC: Maurício Zágari (editor)
Daniel Faria (editor assistente)
Heda Lopes
Natália Custódio
Projeto gráfico e diagramação: Sonia Peticov
Revisão: Josemar de Souza Pinto
Gráfica: Assahi
Fonte: Adobe Garamond Pro
Papel: Pólen Soft 70 g/m² (miolo)
Cartão 250 g/m² (capa)